集韻

七

五福五代堂古稀天子寶

八徵耄念之寶

太上皇帝之寶

集韻卷之七

翰林學士兼侍讀學士朝請大夫尚書吏部郎中知制誥判秘閣兼判太常禮院羣牧使上柱國濟陽郡開國侯食邑二千四百戶賜紫金魚袋臣丁度等奉

敕脩定

去聲上

送第一 蘇弄切 獨用　宋第二 蘇綜切 與用通

用第三 余頌切　絳第四 古巷切 獨用

寘第五 支義切 與至志通　至第六 脂利切

志第七 職吏切　未第八 無沸切 獨用

御第九 牛據切 獨用　遇第十 元具切 與莫通

莫第十一 莫故切　霽第十二 子計切

祭第十三 子例切　夳第十四 他蓋切 獨用

卦第十五 古賣切 與怪夬通　怪第十六 古壞切

夬第十七 古邁切　隊第十八 徒對切 與代廢通

代第十九 待戴切　廢第二十 放吠切

震第二十一 之刃切 與稕通　稕第二十二 朱閏切

問第二十三 文運切 與焮通　焮第二十四 香靳切

願第二十五 虞怨切 與慁恨通　慁第二十六 胡困切

恨第二十七 下良切　翰第二十八 侯旰切 與換通

換第二十九 胡玩切　諫第三十 居晏切 與襇通

襇第三十一 居莧切

一〇送䢧倯蘇弄切說文遣也古作䢧隷作倯文五鬆鬆鬆鬆亂皃凇凍凇冰堅〇謥千弄切謥詷言
遫文四㥲㥲恫不得志一曰心急一曰無知皃揔檐也䈡竹名〇㯶粽作弄切角黍也或作粽文十五偬揔
倥偬苦也一曰困皃或从手䁓窺視也一曰䁓睃視皃緵罭緫爾雅緵罟謂之九罭一曰百囊罟或作罭緫㚇𢯎鳥斂
足也或从羽鯼魚名石首也䡯鞚鞍駕馬遫也鬷釜屬一曰漢侯國名豵牡豕也勜勸厲也〇涷多貢切說文仌
也文十四涷爾雅暴雨謂之涷湩說文乳汁也棟說文極也爾雅棟謂之桴𢡖倲𢤱𢡖愚皃或作倲菄艸名𩊚他
博雅𩊚瓬甋也鬆鬆鬆鬆亂皃䍶獸名如羊一角一目蝀說文螮蝀也𧡆視皃娻女字崠山脊〇痛他貢
切說文病也亦姓文三蘣好也㝑穴也〇洞徒弄切說文疾流也一曰通也文二十一峒山參差不齊也一曰山穴通作洞
衕說文通街也迵說文迵迭也一曰過也眮說文吳楚謂瞋目顧視曰眮㖦大歌聲也𩐨𩐽鍾聲或从通
詷謥詷急言一曰同也慟說文大哭也憧憧憧意不定胴大腸筒說文通簫也絧鴻絧深遠一曰相連次皃
戙杙也駧說文馳駧去也侗誠慤皃郭象曰侗然而來姛項端恫㥲恫不得志烔火皃㓊冷也〇弄

小大又十 大口卅四

集韻去聲 七 二 正

挵盧貢切說文玩也或从手文二十𢘪𠈌𢘪𢡖愚也或从人哢鳥聲也𧜏衣一襲𢊡廈也屏也𨚍邑名
在魯梇說文木也益州有梇棟縣𢤱𢤱悷性恨𥗂石洄礱小磨𥥛㟖𥑋𡌆穴也或从山从石从土
攏搖也周禮攏鐸鄭司農讀㶆水名瀧瀧涷霑也㜇女字〇齈奴凍切鼻病多涕文四濃涷濃寒皃癑
說文痛也一曰瘡潰鬞鬞鬆鬆髮亂〇唝哄胡貢切衆聲或作哄文十六訌讀也烘火皃一曰火乾物港港洞水皃
閧鬭聲孟子鄒與魯閧从門㖦廣雅歌也一曰大聲𥦔𥦔𥦔空皃𢡖愚也蕻𦔷茂也或作𦔷澒汞水
也或作汞洚洪水也虹虹洞相連也鴻鴻絧深遠一曰相連次皃〇控苦貢切說文引也引詩控于大邦文十二鞚馬勒
也倥倥偬困也崆崆峒山深皃悾博雅誠也空窮也缺也𤖮穿垣謂之𤖮涳水直流皃𦃇絲屬矼慤實
皃莊子德厚信矼羫腔羊腊亦从肉〇貢古送切說文獻功也又姓文二十二贛贑說文賜也籀作贑𣸧
灨水名出豫章或作灨通作贛匱𣘶說文小杯也或作𣘶𧄝說文艸也一曰薏苡𡑛𡋔地名或作𡋔䲲
鳥讓食篢說文杯笿也一曰盛箸籠虹字林𧎧蝀也一曰縣名在沛郡或書作𧈅玒飛至也愩心動也一曰自高陎從陎

山名在雲南攻戰伐也戇悻戇愚也嫃女字蕢艸木子聚生屖差也澒水皃○瓮甕烏貢切說
文罌也亦从雍通作甕文八𨿳罋說文汲缾也或作甕齆埤倉鼻病也𪖦臭气翁頸毛壅縣壅山名在晉陽郭璞說
○㦽懞蒙弄切盖衣也或从蒙文十三㴎微雨也霿霚說文天气下地不應曰霿或作霧𡏶塗也艨
艨艟戰船懞心暗𩦬騄驉子或从蒙鑅廣雅鑅鏧也一曰鏧刃霥雷聲矇矇瞍視皃○夢莫鳳切說
文不明也一曰艸中曰夢通作瞢文十三㝱瞢說文寐而有覺也或作瞢通作夢瞢目不明也鄸邑名在曹鑅鏧刃𧢈
𧢈趥極行也一曰疲也鸏鳥名懞中也鏒博雅鍡也霿霧天氣下地不應或作霧𦾦楚謂艸澤曰夢通作夢瞢○
賵撫鳳切贈死之物古作鳯文三麷熬麥也○諷風方鳳切說文誦也一曰諫刺或作風文二○鳳䎱
鵬馮貢切說文神鳥也引天老曰鳳五色備舉出於東方君子之國見則天下大安寧古作䎱象形鳳飛羣鳥從以萬數故亦以為朋黨字或作鵬文三○
𧻓千仲切行皃文一○銃充仲切斧穿也文三𣑴木種也𥫱竹尖也○衆眾𠈁之仲切說文多也从
依目衆意又姓古作眾𠈁文五蟓方言螻蛄謂之蟓蛉䨶小雨○𠞊仕仲切鍤屬文一○戇贛呼貢切悻戇愚也或

省文八烘火气乾物蕻吳俗謂艸木萌曰蕻篊竹器所以熯物者䁅瞢䁅不明嗊羅嗊歌也𡵪𡵪峒山谷深皃
○𣪚粗送切𣪚聚不迎自來也文五𣡶麻東一曰積禾𠐎聚也欉江東謂艸木叢生藂艸稚也○中陟仲切當
也文三衷折衷平也妕女字○仲中直衆切說文中也或省文九𢓡中籥也通作仲蟲蚛蟲食物也亦作
蚛茽艸卉叢生鴤鳥名博雅鶵鴤飛鵩也衶神名𪀦神鳥名○𧼮𨁽香仲切說文行也一曰𧢈趥或从足文三嗅
鼻審气也○焪去仲切火乾物文八𣉣日乾物𧩓多言涥水急皃𠊧小皃一曰寒皃一曰屈也㩦捺也躳
曲躬也一曰使役㖆鞠訩也通作𧩓○矗丑衆切直皃文一○𣟼蓬菩貢切艸木盛皃或作蓬文二
二○宋蘇綜切說文居也一曰木者所以成室以居人也一曰地名商後微子所封亦姓文三謥謥詷言遽荣艸名○綜子宋
切說文機縷也文四䝋豕子碂碎也琮半璧也禮君享用璧夫人用琮天地配合之象○統他綜切說文紀也一曰攝理文二
黈博雅黃也○𥖝魯宋切𥖝隆石落聲文二鏧鼓聲○硡胡宋切硡隆石落聲文一𠹬廣雅歌也一曰大聲○湩
冬宋切乳汁文一○霿雺莫宋切天气下地不應或作雺文二○癑奴宋切病也文一

三○用用 余頌切說文可施行也从卜从中衛宏說古作用文六 𦤑 用也鼻知臭香所食也 盅䏎 大罌或作

䏎 葑 艸名 ○俸奉 房用切秩祿也或作奉文八 縫 衣會也周官有縫人 捀 奉也一曰分而數也 㦀 款書也

覂 覆也 𩋸 灼龜圻也 夆 㨾也 ○葑 芳用切蕪根也江東有葑田文四 封坣 爵土也書往即乃封徐邈讀古作坣

㴐 深泥 ○縱從緵 足用切說文緩也一曰舍也或省古作緵文五 瘲 瘛瘲風病 縱 絨屬 ○頌額 似用切說文皃也一曰告成功之詩或作額文八

誦 說文諷也 從 同宗也 訟詻吅吅 說文爭也一曰謌訟古作詻吅 ○

從𨒪 才用切說文隨行也或作𨒪文二 ○種種 朱用切說文埶也或从重文六 踵偅 躘踵不能行皃或从人

𤭛鍾 𤮐屬字林酒器也一曰樂器 ○鞾氄毴緝 而用切毴毛飾一曰罽也或作氄毴緝文五 鱅 鮐魚也 ○

湩𤰏種 竹用切乳汁也或从乳亦省文六 堹 池塘塍埂也 譁 言相觸 惷 愚也 ○贚 良用切財貧也文七

躘儱 躘踵不能行皃一曰不強舉或从人 襱 襱緟衣寬皃 癃 䝁癃病也 瀧 博雅瀧涂也 驡 騎重 ○惷戇

贛 丑用切愚也或作戇亦省文五 蹱偅 躘蹱不能行皃或从人 ○𢲸 戎用切推也文四 宂 餘也散也 䘪 鬼衣

鳩 鶲飛皃 ○重𡋯𡐛 儲用切說文厚也一曰再也古作𡋯𡐛文七 緟褈 縋縷也或从衣 𦝫 娠也 偅

遲也 ○恐㤟 欺用切疑也古作㤟文四 𧆱 艸名博雅𧆱茾蘭蒻也 佣 遅也 ○供共 居用切設也或省文五 龔

愗也 蛬 蟲名蟋蟀也 拱 檢手也 ○共𢀜 渠用切說文同也古作𢀜文二 ○雍邕 於用切地名又姓古作邕文十二

灉澭𪷓 爾雅水自河出為灉或作澭𪷓 壅𡑗 塞也一曰加土封也或作𡑗 甕罋 甕也 𩏀韈 鞾鞭或从邕

𧜏褷 襪褷或从邕 ○揰 昌用切推擊也文五 橦 木杌也 趞 拼趞邪行 艟 艨艟戰船 衝 要也 ○艨

杜用切艨艟舟也文一

四○絳紅 古巷切說文大赤也或从工一曰地名文十一 降夅 說文下也古作夅 洚 水不遵道也孟子洚水警予

䅢 艸名爾雅困被䅢 䅢 禾垂 虹 螮蝀也一曰縣名 㶻 博雅差也 悻 恨也 洪 水名 ○鄉巷衖

𨞰閧 胡降切說文里中道也或作巷衖𨞰閧巷又姓文十二 𨛜郘 說文鄰道也隸作郘 鬨鬪 說文鬪也引孟子鄒與魯鬨

鬨或从巷 笐 挂衣架也一曰竹列 降 星名爾雅降婁奎婁也 港 水皃 ○胖 匹降切脹臭皃文五 烽 火聲 韸 鼓聲

酙面腫咔攴聲○穖埄楚降切不耕而種謂之穖或从土文二○淙潨仕巷切水聲或作潨文四漴水所

衝也通作淙霥雨皃○憃尨巷切憃戇愚也文一○戇贑憃惷陟降切說文愚也或省亦作惷文五䰄鬆鬤

鬆亂皃㑳立皃○惷赫巷切惷憧志氣凌突文一○鬤尼降切鬆鬤鬆亂皃文二饢食無廉○淙胡降切水出皃

文五[illegible][illegible]以竹木刺物也或从木雙相偶也[illegible]捍船木○𥈖覩覴丑降切直視也或作覩覴亦書作䁆

文五憃愚皃瞳未有知皃莊子瞳焉如新生之犢○幢丈降切衝城車也一曰陷陣車文八艟短船名幢后妃之幰曰幢

憧憹意不定也一曰戇憃憧愚皃亦作憹撞撞擊也覩視不明也覴覩覴直視○贛呼降切賜也文一

五○寘支義切止也置也廢也文十四忮伎說文很也一曰懻忮強害也或从人伿惰也䛋不知也敊博雅多也

觶觗觝說文鄉飲酒角也引禮一人洗舉觶觶受四升或从辰从氏鳷鳥聲示置也禮示諸掌乎通作寘支方言南楚

謂謰謱曰支註𡖐有大度也嶎山名○翅翄施智切說文翼也一曰過多也或从氏文十九翨鳥之彊羽猛者或書作䶵

鳷鳥名啻說文語時不啻也一曰諟也餘也施㐌惠也與也古作㐌暆博雅暆䵬謂之帞帕鍦鉈江淮南楚

之間謂矛爲鍦或作鉈儩盡也肔博雅肔俎几也馳馬彊也𧊅爾雅姑𧊅彊蛘今米中小黑蟲弛改易也通作施𢳆

木名㧡擿把也或作擿𡖐有大度也○𡖐誃充豉切說文有大度也一曰慶也或从言文五鉹甑鬲鼎也侈

字林汰也傂開衣也○𣏑豉𧯝是義切說文配鹽幽尗也或从豆亦作𧯝文十一𥺛廣雅黏也𢐅青州謂彈曰𢐅

鯷魚名鮎也扡牽也貤物重數易傷輕也或从人䣥字林䣥酏面皃○惴之瑞切說文憂懼也引詩惴惴

其慄文七睡𥈆杵擊也或作𥈆諈爾雅諈諉累也揣治擊也錘鍛也醀病也○吹尺僞切噓也文六

籥龡說文籥音律管壎之樂也或省通作吹𥝩糶也出出也詩杲出日炊炊累動外也○瑞樹僞切說文以

玉爲信也徐鍇曰从耑諦也又姓文十倕闕人名堯時有工倕睡說文坐寐也䤴黍器先以屑垸之也鵻鳥名說文雖也一曰

雅烏或从鳥𥞕小積也垂將及也腄縣名在東萊娷女字亦姓○䌈而睡切內也一曰人心薄言而語謂之𥝩䌈文

六抐內也汭小水入大水也內入也諉諈諉煩重皃𢏢弓曲謂之𢏢一曰張弩○䩥韉所寄切韉屬或

从䍦文九屣躧履不躡跟也一曰徐行不履或作躧灑洒說文汛也或作洒曬說文暴也襹襹𥿍羽衣皃釃

一日玉名○諈女恚切說文累也文八鋖說文側意也踒踓跛踓張弓皃或从垂枘內也㥨倭思也或从
委婑女字○傷易以豉切說文輕也一曰交易或省文十五敡說文侮也通作易伿說文惰也貤誃說文
重次第物也或作貤暆西衣也廣雅暆翩謂之幓帞移遺也羨也大也施及也進也袘褫緆裳下緣也鄭康成曰袘之
言施以緆緣裳象陽氣下施或作𧛋緆椸𣘣方言榻前几趙魏謂之椸或从爿殤䒾夷艸木曰殤○帝丁易切諦也文二踶
蹎也○企𠈱跂去智切說文舉踵也古从足或作跂文十二跂垂足也一曰跂望𨑹避也攱伎說文頃也
从匕匕頭頃也引詩跂彼織女或作伎通作跂蚑蟲行皃㱦吱行喘息或从口𧺹博雅𧺹𧺹行也一曰緣木行逗曲行也
○䮛居企切馬彊也文九鳷雉鳥名或从隹䙿博雅視也一曰瞋皃翨翅說文鳥之彊羽猛者周官翨氏攻猛鳥或
作翄亦書作翍縶小頭忮很戾䝐多小意而止○縊於賜切說文經也引春秋傳夷姜縊文八殪物凋死螠蟲名
縊女也㿼病也謚諡行之迹也或省賹博雅益也撎俯手拜也○恚於避切說文恨也文六烓行竈
睳眭目小怒皃或省嫢說文不說也嘒恚聲○瓗弋睡切玉名文八纗博雅纗紳鞮帶也一日維綱中繩一日弦中絕

䝯益也鷈鳥名小鳩也諉累也錗懸也諸㛤諸女官一曰恨言𦀔垂也○孈呼恚切愚戇多態一曰好皃一曰
過也文七毀壞也麾以旌旗示之曰麾隋墮綏挼尸祭黍稷肝脊也或作墮綏挼○觖窺睡切望也文二
闚小視○瞡規恚切埤倉眇視皃文三規規規驚視自失皃李軌說嫢博雅好也○戲香義切說文三軍之偏也一曰兵也
文四㩚擊也爔燒也嚱嚱嚱聲也○掎卿義切偏引也文四輢車傍倚奇也𠋣倭也○寄居義切說
文託也文七徛𢕗爾雅石杠謂之徛郭璞曰聚石水中以為步渡彴一曰舉脛有所渡或从寄觭隻也莊子觭偶不仵䐈分牲謂之
䐈一曰膱也掎戴也𠋣倭也○芰茤䔳奇寄切說文蔆也杜林說从多古作䔳文十二汥水戾一曰水都騎
乘馬也又姓輢車傍兵所捭較䝐貝名一曰器用𢪭積也一曰摵頰旁䰻說文鬼服也一曰小兒䰻引韓詩傳鄭交甫逢二女䰻服
陭阪名在上黨忮害也詩不忮不求韋昭讀䛊謀也○倚於義切因也加也文七輢車傍陭阪名在上黨
猗相附著也詩兩驂不猗踦足也一曰立倚也椅木名楸屬旖旌旗皃○義宜寄切說文己之威儀也墨翟書通作羛
通作誼文十羛說文魏郡有羛陽鄉本内黄北二十里議說文語也一曰謀也誼䜇竩說文人所宜也古作䜇竩

䤈 字林䤈酏面皃 𩣡 周穆王駿馬名 嬟 女字 議 正也 ○爲 于僞切助也文二 𨻼 坂名在鄭 ○萎餧

於僞切說文食牛也或从食文九 委 委積牢米薪芻之總名 矮 益州人取鹿殺而埋地中令臭乃出食之名鹿矮鄭康成說 𢏳 𤼵弢張弓

皃 㾹 痺濕病 渨 水所聚也一曰漚也 䅗 說文羊相積也 骫 骫骳脛曲 ○ 𪋰 靡寄切䴵也文一 ○僞 危睡

切說文詐也文一 ○ 𧶄䞈 居僞切說文資也一曰古貨字或从危文十五 垝 坫也可以攱物一曰毀垣也 攱 攱 極也或

作攱 攱 庋庪 擧扡物也或作庋庪 𡨬庪 毀也或作庪詭作垝 硊 石垝江名在兗陵西 䞈 傷也 媯

僞 方言嬀媞慢也一曰佳狡也或从人 技 幾山名通作庋庪 ○跪 丘僞切廣雅傷也文一 ○譬辟 匹智切說文諭

也或作辟文四 𡒊 水中洲也 䴙 射鳥具 ○臂 卑義切說文手上也文五 𩆰 水中洲也 嬖 賤而得幸曰嬖 髀 博雅髕彊

辟也 蔽 𢊹也 ○避 辟 僻 毗義切說文回也或省古从彳文四 比 次也親也 ○帔 被 襬 披義切說文弘

裳謂帬帔或作被襬文九 㓟 剝也 䝔 逸予也一曰敗貤次第也 秛 耒粗 破 壞也 㲏 散也 鞁 車駕具 ○賁

彼義切說文飾也文十四 彼 衺也論語子西彼哉 忮 心忮憸也通作詖 詖 說文辯論也 坡 阪也 陂 傾也易無平不陂通作詖

大百十三 小六百九十六

集韻去聲七 八 邦信

跛 偏任也禮立毋跛 䝔 說文逸予也一曰益也 披 柩行夾引棺者 𪑮 𢊹也謂簨虡飾 䶨 廣雅䶨䶨罽也 波 循水

行也漢書傍南山北波河 䍸 幂也 幩 馬飾 ○髲 平義切說文鬄也文十三 被 說文寢衣長一身有半一曰加也 紴 裝束

皃一曰條屬 鞁 說文車駕具 㢰 以絲皮飾弓也一曰弓曲也 骳 骫骳脛曲 旇 旌旗皃 披 散也 翍 羽也

𧚍 衣不帶通作披 𦾞 積也 汥 水戾也 㼰 皮不展也 ○諉 囟恚切毀諺也文一 ○餟 祱 式瑞切小祭也或从示文

二 ○毀 況僞切戲也文三 䮹 爾雅息也 麾 招也春秋傳周麾而呼 ○鰲 鱭 才豉切字林刀魚也或作鱭文二 ○

𪎣 麋詖切偃也曳也散也文一

六 ○至 𦤳 脂利切說文鳥飛从高下至地从一猶地也不上去而至下來也古作𦤳文二十五 摯 說文握持也又國名亦姓 𡜊

贄質 說文至也引周書大命不摯一曰虞書雉摯亦作贄質通作摯 𢂋 博雅𢂋巾也 鞊 鞊 說文蓋杠絲也徐鍇曰絲其繫系也或从

至 𨹳 懫 𤶊 忿戾也周書有夏氏之民叨懫亦作懫古作𤶊 懥 怒也 鏨 說文羊箠耑有鐵一曰田器 礩 柱下石

鷙 說文擊殺鳥也 鴲 雀鷙一曰冥鴲鳥名 鰲 魚名山海經嵎山之江多鰲魚 織 織文也 輊 車重也 䞇 博雅箭鏑

執也侄堅固也依也咥切齒也恉意也氐總也史記莊子著書十餘萬言大氐率寓言也○痓充至切博雅惡也一曰風病文三

恎恑恎惡性也恎恎惶遽也懥音敝不和○屍矢利切似皴皃文三詄忘也誤也聅使也○嗜𩝐䣛

䐩呩耆時利切欲也說文嗜欲喜之也或从食从酉从肉亦作呩耆文十一視眎䁆眡說文瞻也古作眎䁆眡

眡說文眡皃○示𥘅神至切說文天垂象見吉凶所以示人也从二古文上字三垂日月星也觀乎天文以察時變示神事也古作𥘅文十一

諡謚說文行之迹也或省溢愼也詩假以溢我徐邈讀寘置也周禮寘之圜土泋泋鄉縣名勩勚肄

爾雅勞也或作勚肄隶方言餘也秦晉之間曰隶○二弍而至切說文地之數也从偶古作弍文七貳𠎾說文副益也一曰疑

也或从人𢤾飾也𢮘相當也樲木名說文酸棗也○出尺類切自內而外也文二䄈祟也○豙式類

切腫病文四𥨊邃深也或作邃㡿屋深也○𢼸楚類切體栗文一○帥帨所類切佩巾也或作帨文五

率捕鳥畢也膟血祭肉也一曰師祭衛將也通作帥率○四亖𦉭息利切說文陰數也象四分之形籀作亖古作𦉭文

二十三肆肄𨽾說文極陳也一曰遂也故也又姓或作肄𨽾𩏊𩏊說文𩏊屬引虞書𩏊類于上帝古作𩏊

 廷

牭𤛓說文四歲牛一曰很也籀从貳駟四說文一乘也囟胴脺頭會也或作胴脺泗說文受沛水東入淮

又州名柶說文禮有柶柶匕也𦘨艸名說文赤𦘨也一曰芮也堇也肂埋棺坎殔博雅病也貄律

獸名爾雅貄脩豪或从犬𥹋糟也丨上下通也○次𠓛𦧜七四切說文不前不精也亦姓古作𠓛𦧜文十七佽說文

便利也引詩決拾既佽一曰遞也助也通作次𩭿說文用梳比也一曰婦人首服通作次髹髤𦄔漆以漆塗器或作髤𦄔漆

絘說文績所緝也一曰絘布稅布也㱹死而復生為㱹鶿鳥名人面如梟䳄雌鳥名或从隹蛓蟲名似鼅鼄

䡓以𩭿飾車也趑趑趄行不行○恣資資四切說文縱也秦刻石文作資文九絘理絲也㱹說文戰見血曰

傷亂或為惛死而復生為㱹咨歎聲易曰齎咨佽便利也次揄次地名鶿鳥名姿媚也○自𦣹白

疾二切說文鼻也象鼻形古作𦣹白自一曰從也巳也文九嫉𡚱妬也或作𡚱食糧也懠怒也穧穫也絘緝也

○遂隧雖遂切說文深遠也或作隧文二十一㥞𢡟說文深也一曰智也或作𢡟粹說文不雜也繸卷絲為緯

也脺顏面澤也一曰脳也睟視正皃一曰潤澤皃誶說文讓也引國語誶申胥譢訊告也問也或作訊通作誶

祟𥚃說文神禍也籀作𥚃 彗艸名 𣪠楚人謂卜問吉凶曰𣪠 彗篲竹帚也或从竹彗一曰星名 讆說文相毀

也 韢囊組謂之韢 𤻇風病 賥貨也 ○翠七醉切說文青羽雀也出鬱林文六 臎肥也臀也 𩣺馬卒 濢下溼

也一曰物之小需溼 萃萃蔡衣聲 綷綷縩紈素聲 ○醉將遂切說文醉卒也各卒其度量不至於亂也一曰潰也文五 檇雋

地名春秋傳越敗吳於檇李或作雋 𢧵䉐屬 檇以木有所檮 ○㒸徐醉切說文从意也通作遂文四十六 遂𨒪𨗨

說文亡也一曰因也達也古作速遺 燧取火也論語鑽燧改火或書作㷮 鐩鐆說文陽鐩也取火之鑑也或作鐆 隧䡵說文

塞上亭守㷭火者古作𤎺通作燧 隧隊𡑞𨺔墓道也或省亦从土古作𨺔 襚𧞊說文衣死人也引春秋傳楚使公親

襚或作𧞊 旞𣄰說文導車所以載全羽以為允允進也或从遺 璲佩玉也詩鞙鞙佩璲 繸𦂤𩌏爾雅綬也所以連繫瑞玉

者或省亦从革 韢䪍橐紐也一曰盛虎頭囊或从彗 𨍳博雅輴𨍳柳車也 蓫艸名似茵 䔹檖說文羅也引詩隰有樹檖

或从遂 䕟蔧蓫蔧蔣也或作蘧蓫 彗篲埽竹也或从竹 穟𥡴䅎說文禾采之皃引詩禾穎穟穟

或省亦作𥞓 采穗䒫說文禾成秀也人所以收从爪禾或从惠古作蓫通作穟 遂㴚田間小溝也或作㴚通作遂 遺

饋也周禮遺人徐邈讀 倅廣雅困倅也 嬘𡢈女字亦省 術六鄉之外地一曰道也通作遂 䅎禾四把 ○萃秦醉

切說文艸皃一曰聚也文十一 踤博雅待也一曰止也 捽椊木朽或从萃 顇說文顦顇也 悴說文憂也 瘁病也

踤集也太玄鷟踤于林 誶告也 㦬雌貂 䅇稻黏者 ○地墬埊埊徒二切說文元气初分輕

清陽為天重濁陰為地萬物所列也籀作墬或作埊唐武后作埊文九 𢃳䒿屬 締結也 棣棠棣木名 鬄髮也 ○致陟利切說

文詣送也文三十七 質劕物相贅也或作劕 疐䟈嚏疐擿說文礙不行也从叀引而止之也叀者如叀馬之鼻

或从足亦作嚏疐擿 躓說文跲也引詩載躓其尾 逮前頓也 𨇽踕趴也或作蹎 騺鷙說文馬重皃或作鷙 駤

博雅䮢駤止也一曰馬高大 咥止也易咥揚中吉馬融讀 𨋵輊輖墊𨎽說文抵也或作輊輖墊𨎽通作𨋵 擿

說文刺也一曰刺之財至也一曰搏也 懫止也忿也 膣脛肥也或省 懥恨也 潌涇溼也或省 𧸘賑也貝也

踶博雅踶謂之彈 𢟎施也 藪說文艸大也 摰廣雅解也 底致也史記震澤底定 徵會也出𥏡方言短也

擿棄也 ○屎𡲾𣐹丑二切篗柄也或作𡲾𣐹亦書作𢪃文二十一 𢽇殸蠶折曰𢽇或从攴 諉詘四沉禮

之間凡相問而不知荅曰誺或作訵 緤結固也 諜言緩皃 惵惰也 諡 咥笑也或从口 呬默知也 𨐢

懫𨐢說文忿戾也从至至而復遜遜遁也引周書有夏氏之民叨𨐢或作懫古作𨐢 踶作前却也一曰忿戾 鷙鷙𩣺馬距扼遲頓皃

一曰馬旁出 䰡殀魑魅也山海經剛山多神䰡或作殀 丨上下通也上小下大中十等字从此 ○緻直利切說文密也文三十一

𦅶𦆽紩也或从遲亦通作緻 閷太玄首名陰氣閉陽緻密也王涯說 稺𥢑稚𥟖穉說文幼禾也或不省

亦作稚稺穉 𢹈棲蒲采名通作雉 治乿理也古作乿 遲待也 謘語謘也 儌字林會也 𢷋說文

當也 𨪍𩌏觶字林刺履底也或从革从角 鯯魚名 懥怒皃 沶沶鄉縣名 𢹈刺也 雉野雞也

滍水名 𥳎竹幼 𥡙禾稠也 樲以木柜輪也 墊蟄也 眙驚視皃 𢷋持物使相當也 ○利𥝢力至

切說文銛也从刀和然後利易利者義之和州名亦姓古作𥝢文十九 𢟋說文楚潁之間謂憂曰𢟋 痢下病 䇐莅蒞

位說文臨也或作莅蒞位 涖泣也一曰涖涖下瀨水聲 浰疾流也 覼求視也 颲暴風 唎聲也 筣竹名

沴祆气 悷懍悷悲也 蠡蟲名 㑦怒也 戾乖也罪也 ○膩𦡘女利切說文上肥也或从疑文十一 暱

目深皃 醳酳字林重釀也或作酳 幘字林飾也 㤱快性也 旎旖旎旗皃 䛤視也 佴佽也疑也 屎

嘿屎欺也 ○轛樹追萃切說文車橫軨也引周禮參分軹圍去一以為轛圍一曰車或从木文九 追逐也周禮比其追胥劉昌宗讀

𨔵䠔遂𨖊足不前也或从足亦作遂𨖊 䢕戚路也古作戚 ○墜隊碌礈隧

𩜀直類切爾雅落也或作隊碌礈隧𩜀文九 墬吳俗斷木為軸以申物 懟譵說文怨也或从言 ○類力遂切說文種類相

似唯犬為甚一曰善也古通作䫌亦姓文十 禷說文以事類祭天神 䫌血祭肉也 淚目液也俗作涙非是 𥩟莅臨也或作莅

蘱艸名 率計數之名 耒耜柄莊子耒耨之所刺 𪐴黑色 ○肄𦘓𦘔肆羊至切說文習也籀作𦘓或作

肄肆文二十四 殔𡝞說文瘞也或作𡝞 𢑚豕屬 隶本也 貄𧳅律爾雅狸子貄或作𧳅律 𢑛𢑚

豙河內名豕也古作𢑚籀作豙 勩勞也詩莫知我勩 㢊廡也 廙恭也一曰行屋下聲 貤物重有次謂之貤 懥怒皃

袣裏也 䖡米穀中蟲 蕼赤蕼艸名 餼主也 謚行之迹 ○棄弃棄迸𢍏磬致切說

文捐也从廾从推華棄之从云云逆子也古作弃棄迸𢍏文十 𡖅博雅𡖅多也 㞝說文尻也一曰歇坐皃 𧒂爾雅蠹也 𧓍蟲名

似蝵蝤細長𢠿備也○遺𧸩以醉切贈也或作𧸩文十二繾𢤹忘也𥌷目疾𣻞𣻞清漢侯國名一曰藥艸名

壝堳埒也蜼獸名如母猴卬鼻而長尾蟦肥蟦神蛇二身同首六足而四羽見則不雨䗽蟲名蛘也蔧帚也莊子操拔

篲徐邀讀疫字林病流行也膭肉病○睢香萃切恣睢暴戾一曰自得皃文三瞲恚視也婎醜也○侐伵火四

切靜也或作伵文三呬爾雅息也施乾讀○悸其季切說文心動也或作㥌文十二痵說文气不定也䫥大口睽

睽睢張目皃㑧說文㑧左右兩視𥧣熟寐也猤武猛也𥋩䁤視也亦作睽䠏足也𥝜武玄之曰

木下垂皃○季居悸切說文少稱也又姓文六𣳚水名𪃑鳥名琌玉名𩒹頭小皃頍弁小皃○齂虛器切鼻

息也文十九呬𪖐說文東夷謂息曰呬引詩犬夷呬矣亦从鼻叩𦡖呻也或作𦡖屓臥息也眉屭顊

嬰大眉壯大皃亦作屓顊霼說文見雨而止息豷豷闕人名寒浞之子或从犬咥唏笑也或作唏忥博雅忥忥喜也

欷悲也䛥語聲覬幸也𢟁疾也䞘走也○器𡇸去冀切說文皿也象器之口犬所以守之又姓或作𡇸文五

𤺺病也欬𧬊欬言笑也一曰俗謂嗽為欬𥷓氣也○冀兾几利切說文北方州也一曰欲也又姓或省文十八覬

幾欿說文欲𢜵也或作幾欿𦮂艸名懻彊直皃𧭈言無次也穊𥝩穖說文稠也或省亦从幾

驥說文千里馬也孫陽所相者天水有驥縣通作驩洎灌釜也蔇艸多皃𧪚詎也稩禾長穗旣已也騹冀及

也○臮息巨至切說文衆詞與也引虞書臮咎繇古作息文十七暨說文頗見也一曰與也洎說文灌釜也一曰及也

璣珠不圓者㵗說文水也垍說文堅土也塈說文仰涂也或書作墍蔇至也𧇖器名一曰居𧇖獸名似蝟櫭

杙也鵋鳥名鱀鮨魚名鱁也大腹喙小銳而長齒羅生上下相銜或从无𧖴以血涂祭也禨祅祥也嘰小食

○懿𢡨𢡨𣤅乙冀切說文專久而美也又姓或不省古作𢡨𣤅文十六𡔡方言貪也荊湘人貪而不施曰𡔡乿

博雅黑色撎揖俯手拜也或作揖欭說文嚘也饐𩚀𩟗說文飯傷溼也或作𩚀𩟗墿陰晦也䭡

鳥名說文鷧也或書作鷧曀陰而風曰曀𧮯痛聲○劓𠜾魚器切說文刖鼻也引易天且劓或从鼻文三𦟗鼻息肉○

位于累切說文列中庭之左右謂之位文二壝堳埒也○豷𤡔許利切說文豕息也引春秋傳生敖及豷或从犬文五㵋

火𦢊也屓臥息也唏痛聲○罻於位切說文捕鳥罔也文一○喟嘳欳丘媿切說文大息也或从貴亦作欳文十

也一曰自愧恨曰恥 貱逡子也 痰病也 娞女名 卹說文宰之也 鄪郿費肸邑名在魯或省亦作費肸

棐柴粊說文惡米也引周書有棐誓或从比亦作粊 皕二百也 轡䡊說文馬轡也引詩六轡如絲或作䡊 柲

鉍說文欑也或从金 芘庇覆也或作庇 濞闕人名史記鄭悼公濞 䎂方言敷趙魏之間謂之䎂 鬢鬢鬢多須 ○

濞匹備切說文水暴至聲文八 淠水出汝南弋陽垂山東入淮 嚊喘息也 䑁肥壯也 㳅沸水名亦从

奰氣滿也 㵒淪汯敗皃 ○葡蒲平祕切說文具也隸作蒲通作備文二十七 奰㬥說文滿也或从𥅠 𥅠

屓贔鼇也一曰雌鼇爲𥅠 備俻說文愼也古作俻 奰奰說文壯大也从三大三目二目爲㫙三目爲奰益大也一曰迫也引詩不醉而

怒謂之奰或省 濞水皃 勱勱博雅𢱢也一曰壯也或省 䑁肥壯 糒說文乾也謂乾糒 僃火乾也 構木名蜀中

有之七八月吐穗穗如鹽粉著狀可以作羹 牖牖也模也一曰牀横桄 弸以絲被弓也 絥茯鞴𩌦說文車絥也或

作茯鞴𩌦 犕說文引易犕牛乘馬一曰牛八歲謂之犕 𪀦鳥名 濞水聲 憊極也 庳下舍也 ○媚明祕切說文說也文

十九 郿縣名在右扶風 眉目合皃 鬽魅𧳋𡕢祙說文老精物也从鬼彡彡鬼毛或作魅籀作𧳋亦作𡕢祙

大丁三三一 小六口四五 集韻去聲七 十四 卅安

娓博雅順也 嚜嚜杘欺也 煝博雅焅謂之煝一曰旱熱 篃竹名一尺數節葉大如扇 䉋博雅䈂䉋箘也一曰竹名長節

深根苗冬生 蝞蟲名如蝦寄龜殼中食之益顏 穖散種也 䊳䅏餛屎博雅饘也或从禾从食亦作屎 ○

𡴭敕類切自中而外也文一 ○繫吉棄切聯也文三 係縛也 繼續也 ○系兮肄切箸也文一 ○

呬許四切息也文三 㕥呻也 咥笑也 ○菑子鼻切剖裂也周禮居幹之道菑栗不迆沈重讀文一

七 ○志𢖽職吏切說文意也古作𢖽文二十 誌識說文記誌也或作識 鋕銘也 織結絨

織文也或作結絨 痣䏄黑子也或从肉 娡有莘氏之女鯀娶之 䓌遠志藥艸 幟㤠旗也或从志通作織 箎竹名

覟審視也 㤝忘也 沚小渚 翐𦑗羽盛皃或从志 ○試式式吏切說文用也引虞書明試以功或省文十四

弑殺煞𢧵殺也自外曰戕內曰弑或作殺煞𢧵 幟織旗也或作織 識志記也或作志 戠黏土

室居也 僿無悃誠皃 始始也禮蟬始鳴 ○熾戭𤍒昌志切說文盛也古作戭𤍒文二十二 幟織

幟㤝志旗也或作織幟㤝亦作志 哆聲也 埴戠戠黏土也或作戠亦省 饎䬣𩜾饎

糦喜饎說文酒食也說炊黍稷曰饎或作𩟽饎糦喜饎俶耕發地也詩俶載南畝鄭康成讀偫衆盛也識記也
○侍時吏切說文承也文十蒔秲時蒔萕說文更別種或作秲時蒔萕植樹立也史記方正倒植劉伯莊
讀寺閧寺人奄官或从門侍仗也○鬻粥餌餘仍吏切說文粉餅也或作粥餌餘文二十一䣼
酘酒也一曰次釀佴說文佽也一曰貳也㚲說文女號也珥說文瑱也眲凡人相輕侮以為無知謂之眲一曰耳目不相信
咡口旁曰咡䖻釣魚食也誀誘也𦙃腱也衈殺牲血祭名𦕒神聽告饗謂之𦕒刵說文斷耳也
毦博雅毦毦罽也一曰績羽為衣一曰兜鍪上飾洱水名在西域髶去髮飾𣨙春祭以除病聕聽音也○胾
側吏切說文大臠也文十六剚𨧫插刀也或从金亦書作𢩨輜車輻入牙曰輜𦙶肥皃鶅雉名東方曰鶅椔木立死也
菑倳事植物地中謂之菑或作倳事扻治髮也莊子簡髮而扻緇黑色榸木名甾田一歲曰甾𧩈
言入也𥞥概皃○駛疏吏切馬行疾也文十二使將命者𧥺忘也㑺說文列也𥥛穴也浭浭水名
在河南或从吏豯𧱅江東呼貉為豯豯或作𧱅瑟樂器𩬍鬢鬚皃𪕌皋也○廁初吏切說文清

也一曰間菑植物地中○事叓仕吏切說文職也古作叓文五𩚵耕飾𩛞嗜食也殖植也○
笥相吏切說文飯及衣之器也文七思慮也𤞞獄官也伺覗奄闚也一曰候也或从見僿無悃誠皃一曰細碎
司主也○蛓七吏切毛蟲文二○寺閧祥吏切說文廷也有法度者也或从門文九嗣孠台說文諸侯
嗣國也亦姓古作孠台飤飼食飴說文糧也或从司亦作食飴○字𡦂疾置切說文乳也从子在宀下一曰文也
古作孳文十孳孶𢀩乳化曰孳古作孳籀作𢀩孖雙生子也一曰蕃長也牸牛牝也芓茡說文麻母也或作茡
𧧻諂也○子將吏切愛也禮記子庶民也徐邈讀文三秄擁禾根也俗謂禾漲生曰秄仔克也○置𦋗𦌴竹吏
切說文赦也一曰立也古作𦋗𦌴文六𢐗彈也植寘也書植璧秉圭鄭康成讀德禮立容德蓋如有所置物於前也徐邈說○眙丑吏切說
文直視也文八佁佁儗不前也懫𢞑忿戾也或作𢞑𩲓𩲡說文厲鬼也或作𩲡𢡱怒皃誺不知也○
值直直吏切說文措也或作直文八植種也槌也一曰將吏春秋傳宋城華元為植𢭏投也置樹也周禮凡試廬事置而搖之
𨁈立也遟待也𣜷力旁木通作植○吏良志切說文治人者也徐鍇曰吏之治人心主於一故从一文七孷雙生子也

愸憂也淩水名裏衣內也俚博雅聊也一日下俚一日勤也悷憂也○異帒羊吏切說文分也从廾从畀畀

予也古作帒文十异說文舉也引虞書岳曰异哉巳卒事之辭一日去也食闕人名漢有酈食其審食其廙恭也潩水名

在河南密縣大騩山南蒷艸名說文芓也一日連翹詒貽遺也亦作貽○呬許異切忻也文一○憙喜

憘許記切說文說也亦省或作憘文八嬉美姿也譆噫笑也或从意嚱聲也誒謀也○亟去吏切說文敏

疾也从人从口从又从二二天地也徐鍇曰承天之時因地之利口謀之手執之時不可失疾也文七𡖖𡖔多也或从吉唭唭嶷無聞見皃

一日給也倛倛儗不前𪓑居𪓑獸名似蝟而赤㞆山高皃○記居吏切說文疏也文十䢋說文古之遒人以木鐸記詩言

从辵从丌忌𢘓巳其語巳詞詩叔善射忌或作𢘓巳其䓟艸名近巳也辭也詩往近王舅𡖖多也㞆

山高皃○忌𢘓渠記切說文憎惡也亦姓古作𢘓文二十三𥱢竹名𦮙艸名惎𢟋忈說文毒也引周書來

就惎惎一日教也意也或作𢟋古作忈亦書作倛畁說文舉也引春秋傳晉人或以廣墜楚人畁之黃顥說廣車陷楚人為舉之諅諆說文

忌也引周書上不諅于凶德或从基誋說文誡也一日告也棋褀禥繫也巾也或作祺禥娸怒也綥博雅鉥綥鍼也一日

秤綷棋棋跌定緶細之物邔縣名在南郡鵋鳥名鵋鶀也㖢食也𢘊敬也綦𦄐履飾或書作綨貄貍子

○意於記切說文从心察音而知意也又姓文十一鷾䧧鷾鴯鳥名或从隹嬑女字檍木名可為弓幹者噫譩

痛聲或从言薏䒸薏苡艸也一日蓮的中或作薏誒可惡聲蒷艸名連翹也○魕魚記切博雅㩴也文

七儗倛儗不前也㘈唭嶷無聞見也一日給也一日笑皃譺博雅調也一日誰也豙豕怒毛豎一日殘艾也

𩭐博雅瓶也忍怒也一日从刀心害意○撎伊志切俯手拜也文一

八○未無沸切說文味也六月滋味也五行木老於未象木重枝葉也文十四味說文滋味也菋說文荎藸也頪面俯

前也荱艸垂皃粖秣𩚨博雅饘也或作粖𩚨亦書作𥹸沬水名寐鮇魚名山海經諸鉤山多寐魚或作鮇

𡶒山名邾地名𣏏木名○費芳未切說文散財用也文十九佛彷彿見不諟也通作髴髴髣髴髮亂𩭿說文

髴也一日忽見也靅䨽雲布皃或省昲日光皃一日乾也瀵說文涫也𥼟食失氣者𥼟炥火皃樻木名

𧺺走皃怫忿皃莊子怫然作色㩅擊仆也昲目不明或書作曊紼組也鄪邑名在魯𡾊壞聲芾

小也○沸𤅢方未切湝也或从鬲文三十六誹謗也𤇵火皃一曰熱氣疿熱病也𧩤多言也祓祔

𧙏襏蠻夷衣也一曰蔽厀或作祓祔襏𦓽博雅耦也𦓽耕也鯡魚子一曰海魚名跡䟷行疾皃或作䟷芾

茀小皃詩蔽芾甘棠或作茀亦姓䳊鳥名或書作鵬拂佛扐拂形似也或作佛通作髴濆泉涌出也餥爾雅食也

蛂甲蟲也爾雅蛂蟥蛢朩孛艸木盛朩朩然或作孛笰削矢令漸細髴髣髴鬉亂𢿘蔽厀也妭羌人謂婦

曰妭𢱧覆手也羛姓也由鬼頭紼大索袚衣袖誖𢝏惑惛也或作𢝏籀作惑○扉父沸切說

文履也或通作菲文四十九樻說文木也跸刵𨃼說文刖也或从刀亦作𨃼𡘋大也屝𦬇陫說文隱也

或从巾从阜潰潰渭水溢皃𤸲腓疿爾雅病也或作腓疿曹目不明也或書作昲費姓也攢拂楚謂

搏擊曰攢或省𠞰武猛皃一曰迫也怫怫惘心不安悲博雅悵也翡說文赤羽雀也出鬱林一說雄曰翡雌曰翠䨾狒

𥜶𥜶𥜶𥜶說文周成王時州靡國獻𥜶人身反踵自笑笑則上脣掩其目食人北方謂之土螻爾雅𥜶如人被髮一名梟陽从禸象形或

作狒𥜶𥜶𥜶蟦螬蟲名方言蟦螬謂之蟦或从費蜰肥蟦神蛇也蜚𧕴說文臭蟲負蠜也或从蚰通作蜚[illegible]

大、三十三 小十、九十九 集韻去聲七 十七 正

說文麋也或从火䅎穖說文稻紫莖不黏或作穖萉蘱蕡說文枲實也或作蘱蕡亦書作𪎍菲菜名[illegible]

覆耕也俷背也史記燕王策曰無俷德昲乾也列子肴未昲𩭹鬉也𤺌𤺌痱熱悶一曰腫盛皃𧌘𧕴獸名

如牛白首蛇尾行水則竭行艸則枯見則大疫或作蟗𧒒獸名蛩也𧌘上烝氣也○欷許既切泣餘聲文三十三咥說文大笑也引

詩咥其笑矣唏啼也䛥語氣氣𩞁餼既說文饋客芻米也引春秋傳齊人來氣諸侯或从既亦作餼既𤛆牛犍

謂之𤛆一曰牛餉鎎說文怒戰也引春秋傳諸侯敵王所鎎通作愾愾說文大息也引詩愾我寤歎𩜰飽也忥說文癡皃一曰靜也

息也一曰忥氣喜也𢟪忢忥也亦省通作慨塈𡋵仰塗也古作𡋵豷豕息也𩧤馬走皃𤌇薙艸

燒之曰𤌇霼霼雲皃黖不明皃𧍆蟣蟲名或从既鑑居豷獸名㾅痛也𠐈怒也𣱛水也摡

抚博雅取也一曰拭也或作抚蔇至也一曰地名在魯槩平木核動搖皃○气氣炁丘既切說文雲气也

象形一曰息也或作氣炁文十盵姓也鑑居鑑獸名似蝟毛赤乞與也或通作气暣盵日氣也古作盵𣢑气也通作氣

汔水气也○既居氣切說文小食也引論語不使勝食既一曰已也盡也或通作漑文十九𥝌說文稭也旡𣞢說文㱃食

屰氣不得息曰旡从反欠古作先 禨福祥也 曁諸曁縣名在越亦姓 㾓疙癡也或作疙 穊稠也 漑灌也

蔇說文艸多皃 㤅不便言也一曰幸也 肌體也 汽相摩近也 鱀魚名胎生鼻長文 稩禾長 餼饋食生也

𥂝器名 韎茅蒐染韋 ○禨其既切福祥也文十 𨣈沐酒也謂既沐飲酒禮有進𨣈通作禨 璣𪪳珠不圓者或作

𪪳 幾近也 曁及也 𠣚封也 櫭鍇也 鱀魚名鼻在額 𥂝居𥂝獸名似蝟毛赤 ○衣於既切服之也文五

𣪠博雅貪也 黖深黑也 霼𩆵𩅦雲皃 𨍹車傍 ○毅魚既切說文妄怒也一曰有決也文十三 豙𧰲

說文豕怒毛豎一曰殘艾或作豙 忍說文怒也 𥳁竹名或从毅 顡頭不聰也 藾蘔藙說文煎茱萸引

漢律會稽獻藙一斗或作蘔藙 𩲸恐也或書作𩲸 劓割也尚書我乃劓殄滅之徐邈說 虩虎皃 ○𦝥胃膭

于貴切說文穀府也从図从肉象形亦作胃膭文二十九 謂說文報也 愲博雅怳慨也一曰心不安皃 媦說文楚人謂女弟曰媦引公羊傳楚

王之妻媦 緭說文繒也 緯說文織橫絲也亦姓 𧒂蛒𧒂蟲名 颵風也 啈小兒啼聲 煟火光 渭說文水出隴西首陽

渭首亭南谷東入河杜林說夏書以為出鳥鼠山雝州浸也 𦪙運舟也 鮹魚名如蛇文 𦡁皮也 𢑘彙蝟

𧕑蝟說文蟲似豪豬者隸作彙或作蝟𧕑蝟彙一曰類也 圍繞也 𦽢𦺷蔶說文艸木𠔻孛之皃或作𦺷蔶 𦾨

織艸也莊子茾蕭而食 偉大也 㧡博雅動也一曰擔也 𧴄獸名似𧰩 ○諱許貴切說文認也文七 卉艸之揔名

𠲯叱聲 𣶒濊𣶒水皃 𨽻爾雅息也孫炎讀 𡙡疾也 㛱女名 ○毇毇丘畏切米一斛舂為八斗或不省文七

𩟺多得也 𧡪溪視 𧝞𧝟細也或作𧝟 𩯭髮 ○𦣻𧶠貴𠤏歸謂切說文物不賤也亦姓隸作貴古作

尚文八 瞶極視一曰目無精也 𠎝使也 餽饋餉也或从食 祪毀廟之神謂之祪 ○𡰥尉紆胃切說文从

上案下也从𡰥又持火以尉申繒也一曰候也又姓隸作尉文十七 慰說文安也一曰恚怒也 𤰞𠃵威說文惡也鬼頭而虎爪可畏也

古作𤰞或作威 𢱐以手布物也 褽說文衽也一曰薦也一曰𨍳也 罻說文捕鳥網也 𤛃牛名爾雅牛黑耳𤛃或書作犚 𩸂

魚名 螱𧑠飛螘或从虫 蔚說文牡蒿也一曰艸木盛皃 藯芜藯艸名益母也通作蔚 𤩽瑰𤩽珍琦也 𩆶

雲起皃 ○魏巍虞貴切地名春秋傳魏大名也一曰象魏闕名篆作巍文七 𧕮再蠶也 蘶艸木采更生也

𩴿阿𩴿藥名通作魏 犩𤛐獸名如牛而大肉數千斤或作𤛐 ○窘巨畏切困也仍也文四 𩌥馬繮

鶪廣雅羖羊犗曰鶪 㺬極也○倪五未切顧視也鄭康成曰龜左倪靁文一○猵鋪畏切猵狙獸名似猿狗頭文

三 懅擄用力極也或从手

九○御馭御御牛據切說文使馬也徐鍇曰卸解車馬也或彳或卸皆御者之職古作馭衘御一曰待也進也又姓文十一

魰漁捕魚也或从水 禦衙止也或作衙 語說也 御鄉名 迓迎也書迓衙鄭康成讀 飫餞也○

餱飫饇餘䬪依據切說文燕食也引詩飲酒之餱或作飫饇餘古作秇文十七 飫說文飽也民祭祝曰厭飫 醧

說文私燕飲也 棜承搏器如案無足禮有棜禁 寱寐說文楚人謂寐曰寱或作寱 棜擊也 瘀說文積血也 菸蔫菸

敗也 淤埁說文澱滓濁泥或从土通作閼 鄔縣名在太原 閼閼與容暇皃○嘘許御切吹也文一○去丘據切說

文人相違也文十 菨艸名 䲦鳥名 㰦呿張口皃或作呿 胠脅也 厺閉也 麮說文麥甘鬻也 鼁蟲名爾雅

鼁䵷似蝦蟆居陸地 祛袂末也○據居御切說文杖持也亦姓俗作㨿非是文二十二 倨裾說文不遜也亦作裾 踞說文

蹲也 諊言有則也 鋸說文槍唐也通作鐻 鐻器名似鐘 腒鳥腊 賫貿錢也 据拮据手病 澽[illegible]

大一二十九
小百八十三

集韻去聲七 十九 春

乾也或作[illegible] 椐字林木名靈壽也 䶙䶘獸名角似雞距或作䶘 鮔魚名 豦㺲獸名爾雅豦迅頭大如狗似獮猴黃

黑色多髯鬣好奮迅其頭郭璞說或从犬 居居居懷惡不相親比皃一曰豦也 舉㩴引也禮其任舉有如此者徐邈讀 𨅊手據地一曰倨𨅊猶

動作也 𧇊關人名齊有梁丘𧇊通作據○遽其據切說文傳也一曰窘也懼也文十一 懅懼也 勮說文務也 醵酤

合錢飲酒曰醵或从巨 壉地名 澽乾也 詎渠字林未知詞也或作渠 蘧據有形皃莊子覺則蘧蘧然或作據○

絮息據切說文敝緜也一曰冒絮頭上巾也文二 稰木爲犂柄○覷䁦七慮切伺視也或从目文十一 坥蝮場也 胆

蛆蠅乳肉中也或作蛆 蜡周官蜡氏掌除骴 耝𠟭耕市土起謂之耝或从刀 狙說文玃屬一曰狙犬也暫齧人者一曰犬不齧

人也 㜘博雅妬也 𡲤屖𡲤行前却也○怚㤮將豫切說文驕也或作㤮文九 㜘姐說文嬌也或作姐 沮水名

出漢中房陵東入江 𣸛𣸛洳浸潤也一曰澤名通作沮 苴艸也 蒩菹澤生艸曰蒩或作菹○䟽綀所據切博雅條疏也

或作綀文五 捒裝也 蔬菜也 疋足也○憷創據切心利也通作楚文四 儊不滑也 楚木名 䃙石不

滑者○詛謯禮䃕作莊助切說文詶也或作謯禮古作䃕作文十 跙踈阻行不正也一曰馬蹄痛病

咀或作 祖 禮器 詛 咒也 ○助 牀據切說文左也 文六 勴 助也 鉏 耡 說文商人七十而耡周

禮以興耡利甿或作鉏莇 罝 醵 ○恕 商署切說文仁也古作𢖐 文十二 庶

說文屋下衆也古作庻 潕 水名 蟅 蟲名 謶 語也 樜 木名 寓 鏣 器名 嫬 女字 ○ 𪇜

也古作 ○署 常恕切 文十四 曙 藷 蕃 蠩 蟲名 周禮有蠩氏

蟅 蟲名 蠦 䗪 䗪 名 樜 木名 㟚 山名 䭾 大食也 蔗 語也 䗪 不語

蹠 跳也 ○署 置也 說文部署有所网屬 從网者聲 文九 薯 木名 曙 旦也 藷

藷 或作薯 諸 與署同 也 湑 旦也 ○ 㵔 女字 ○ 如 人恕切 說文從隨也 文六 茹 度也

讀 洳 說文漸溼也 或作 䀹 寠 ○ 豫 著 陟慮切 說文明也 文四 立

㗬 器名 ○ 著 陳也 箸 或作 筯 說文飯攲也 櫡 文四 柠 䗁 無 宁 門屏之閒 𧜐 𦁊

𧀤 說文飯攲也 或作筯 十 直 古也 名 𤕌 籍 鑄 所以 潳 𤕌 字林 降 門其也 詩曰

（版心）集韻去聲十 二十 小六 五 大六 二十五

宁 門屏閒 也 昇 貯 說文積也 下 見 ○ 㐱 也 慮 良據切 說文謀思也 文二十二 鑢 勵 說文 勴 或從力 㔊 也

遽 淤 魚 澦 也 紵 錯 邊 𧌫 也 金 鋁 鑢 說文錯銅鐵也 或從呂 鑪 也 許 𡸣 山名 河內 勴 也

洳 渚也 瀘 中 一 日 山 呂 圖 黑 縈 傳 謂 漉 諸 蟲 名 也 𥅜 林

名 鐻 說文鐘鼓之柎也 王 准 說文 瀘 作 據 三 𪆨 名 ○ 女 尼據切 以女妻人 汝 也 相

有餘 辟 俗 道 也 岩 切 ○ 故 一 文 ○ 豫 預 余 大 言 中 說文

說文 也 古作 書 令 文三十二 頁 杼 分 也 通作 舍 書 說文 也 引 周

䂸 或作 書 一 口 也 安 也 或 安 也 不 舍 余

與 說文 與 也 及 與 輿 或作輿 車 昇 食 與 與 舉 高 平 也 說文 舉 也 㒜

漵 或 從 㒜 名 水 名 預 預 也 諸 或 作 輿 見 與 美 也 謂 入 歟 一 曰 㒜 行

舉 也 金 鑢 大 廣 或 作 與 鵊 與 或 作 舉 鴗 書 作 舉 也 呂 也 獩 禮 狸 章

本 或 作 舍 書 作 舉 鑢 或 作 舉 鵊 𪆨 稚 䥷 豫 籗 豫

十遇 ○遇 元具切說文逢也文十二 寓庽 說文寄也或从广通作偶 媀 女妬男曰媀 㾻 疣也 禺 說文母猴屬頭
似鬼 𪕳 獸名 鸆 鳥名狀如鼠 麌 獸名通作寓 耦偶 豫人或作偶 虞 度也 ○嫗 威遇切說文母也文六
蓲 艸名荎也 饇 飽也 燠噢 燠休痛念聲或作噢 嘔 和悅皃漢書嘔喻受之應劭讀 ○煦 吁句切說文烝也一曰赤皃一
曰溫潤文十四 昫朐 說文日出溫也北地有昫衍縣或作朐 䣱酗 說文醉醟也或作酗 姁 嫗也 呴欨休
咻 氣以溫之也或作欨休咻 蝺蚼 蟲名幺螘也或作蚼 䨞 雨皃北方語 遱 無妻也 ○驅 區遇切馬馳也俗作駈非
是文七 姁 嫗也一曰河南謂婦 𤛐 牛名 歐 疾行也 𧑂 幺螘也 夸 奢也 誇 歌也 ○屨 俱遇切說文履也一
曰鞮屬文二十三 𩍅 四夷舞者所屝也 絇 縷繩也 句 詞絕也 怐 恐也 痀佝 病僂或从人 𧾵 行也
䀠奭 說文左右視也或从大 𥄎 說文舉目驚𥄎然也 瞿 說文鷹隼之視也一曰心驚皃 邭 地名 䱾 說文魚名
蒟枸 果名出蜀或作枸 駒 駒麗國名 戄 無守皃顔師古說 雊 雊瞀縣名在上谷 泃 水名在北地 笱
織具一曰竹名 拘 拘挐不展 棷 捀棷木名 ○懼瞿愳愳 衢遇切說文恐也或省古作愳愳文十 臞 瘦也

具 說文共置也从貝省古以貝為貨亦姓 埧 堤塘也 䬬 寒䬬餅屬 矐 姓也漢有矐丘 颶 越人謂具四方之風曰颶 ○
芌 王遇切艸名說文大葉實根駭人故謂之芌也文十三 吁 䜭聲一曰驚辭 羽 鳥翅 雨 自上而下曰雨 𩂊 水音也通作羽
䨞 博雅舒也一曰雨皃 杅 官名漢有因杅將軍 翑 箭羽 䁐 轉也 𧑂 幺螘 聥 張耳有所聞 雩 求雨祭一曰吳人謂
虹曰雩 𦐂 緝羽也雩祭所執 ○裕 俞戍切說文衣物饒也引易有孚裕無咎一曰寬也古書作衮文十七 諭喻 說文告也
一曰曉也亦姓或作喻 萮 艸名 籲 說文呼也引商書率籲衆戚一曰和也 覦 欲也 㬰 廣雅㬰㬰謂之㥚怕 柚 橘屬鄭康
成曰魚鹽橘柚 欲慾 貪也或从心 俞 响俞色仁也 諛 諂也莊子孝子不諛其親 羭 牡羊也 愉 樂也 渝 水名在遼
西一曰色染也 螸 螽飛皃 牏 築牆短板 ○赴 芳遇切說文趨也文十七 訃 告也通作赴 䨲趂 說文疾也或作趂
娩娩 兔子也或省 𧿒 說文趣越皃 豧 豕聲 簠 祭器 報 疾也禮報葬者赴虞鄭康成說 仆趠
趏掊踣 說文頓也一曰僵也或作趏趏踣 孚孵 育也方言雞伏卵而未孚或从卵 ○付 方遇說文與也从寸持物
對人文十六 傅 說文相也亦姓 蒪 說文華葉布 賦 說文斂也一曰布也 猼𤝔 獸名似羊四耳無尾目附於背或作

樹尌𢒈殊遇切說文生植之總名亦姓古作尌𢒈文十七侸神名裋𧞣說文𧞣使布長襦或从豎尌侸

侸尌立也从壴从寸持之也或作侸侸尌娃女字[illegible]說文老人行才相逮襡短衣澍說文時雨澍生萬物䝼貸易

也亦姓屬連也矚視皃○孺𪇹儒遇切說文乳子也一曰輸也輸尚小也亦姓或作𪇹文七乳育也擩手進物也

肉肌肉也濡沾溼也㹘牛名○數雙遇切扱也文四捒裝也愉殘帛也嗾使犬聲○藪

蔌芻數切鳥巢也或省文六䐹朕也或作䐹𤎼火行謂之𤎼或書作𤎼敂勇也○閴屋丑注切直

開也或从户文二○㜮媰仄遇切婦人妊身也或从子文七𦞂姸也皺也縐緀絺也或作緀緅青赤色䐹

藏菜○駐株遇切說文馬立也文十四鉒送死具一曰祭器軴車止也住立也咮鳥聲壴說文陳樂立而止見

也亍步止也鴸不飛也𨗴𩡵說文不行也或省柱掌也刺也漢書連柱五鹿君註注述也解也或从

水飳餌也○𢾾昌句切博雅勇也文二䠼抵也○住廚遇切止也亦姓文七㥶築墻短板也逗留止也

曰曲行亦姓箻壇篆竹也尌侸立也或从人駐馬立也○屢婁瞏嬰龍遇切數也或作婁

古作婁婁文十四屨韈也嘍呼犬聲窶貧也鞻靲鞻也𡠄貗求子豕也或省僂

痀僂身曲病或从身累諈諉累阏奴官名瘻頸腫○續辭屢切連也詩陰靷鋈續徐邈說文一

十一○莫暮莫故切說文日且冥也从日在茻中或作暮文十一慕說文習也一曰思也慔說文勉也募說文

廣求也墓說文丘也一曰葬地謨謀也偽也笯籠也方言南楚謂之笯篹竹筥也摹模也縸惡絮也齊

人語○怖悑普故切說文惶也或从布文十一鋪設也一曰鋪首箸門銜環者誧謀也庯博雅衺也𧨝諫也

鯆魚名𤸱痛痡㾃病或作痛痡𡛓美女○布博故切說文枲織也一曰散也文十四抪擊也持也佈

尃偏也古作尃圃甫囿種菜曰圃或省亦从布𣓬木名㓍戳也一曰裁刀𧋍蛂蟲名似蜆沛地名周世宗遣

將破賊於東沛洲𤺺痞病或从布餔與食也○步蒲故切說文行也亦姓文二十五踄說文蹈也捕搏說文取也

或作搏哺說文哺咀也餔𥺛餔餌也或作𥺛鵏鵏鴔鳥名通作鋪𤸱痞病𤻪復病鄜亭名

鞴鞴靫箭室艕𦨈舟也方言艇短而深謂之艕或从符騂習馬也通作步酺𦞦爲人物災害之神一曰會聚飲食也或作

賻 賻以財相酬 鮬鰝鮬小魚 捗捗攄收歛也 駯本馬名 荹說文亂艸 豧豕謂之豧 陠舍下也 ○ 素

素蘇故切說文白緻繒也从糸𠂹取其澤也隷作素文二十三 訴𧬜愬說文告也引論語訴子路於季孫或作𧬜愬 𩟗膳微

愫誠也 傃鄉也 榡器未飾也 泝遡溯說文逆流而上曰泝洄泝向也水欲下違之而上也或作遡溯 𧬘諳也

塐埏土象物也或从素通作素 嗉鳥吭容食處 𤞝獸名 璛玉名 𢶎暗取物也 胥蟹醬也鄭康成

所謂青州之蟹胥 膆肥也 索求也書序八卦之說謂之八索徐邈讀 嫊女字 ○ 措厝倉故切說文置也或从厂通作錯文

七 錯錯金涂謂之錯亦姓或省 㳻博雅匽也所以壅水 酢醋說文醶也或作醋 ○ 作宗祚切造也俗作做非是

一文 ○ 祚存故切說文福也文十二 阼說文主階也 胙說文祭福肉也 飵說文食也 𪌎說文且往也 秨禾稼也一曰禾

搖皃 鮓䱹魚醬或作䱹 苲葄艸名水苲也或从祚 乍止也 厝匽也 ○ 妒妬都故切說文婦妬夫也或

作妬文二十三 奼美女 䏑肞廣腹也或作肞 疕乳病曰疕 託咤宅詫說文奠爵酒也引周書王三宿三祭

三託或作咤宅詫 黕色深黑 殬殅斁睪說文敗也引商書彝倫攸殬或作殅斁亦省 蠹𧖊蠧說

大字一百三十五 小字六百八十八 集韻去聲七 二十四 何琛

木中蟲或从木象蟲在木中形譚長說亦作𧐼 秅秺禾束或作秅 秺漢侯國名在成武通作秅 喥吒也 橐邑名 ○ 兔

土故切說文獸名象踞後其尾形通作菟文五 菟菟絲藥艸 鵵𨿽鳥名爾雅鵵軌或从隹 吐歐也 ○ 度庑宅

徒故切說文法制也亦姓或作庑宅文十五 渡𣲳說文濟也或作𣲳 鍍塗金飾也或作塗 斁塗也墍也 墿道也

𥲠博雅簬也 坾土瓶 蔰香艸 芏艸名海莵也 跿行不履也 𡟯敗也 ○ 路魯故切說文道也一曰道容三軌文

二十二 輅說文車軨前橫木也一曰王之五輅通作路 賂說文遺也 璐說文玉名 瘻𤺄𤻃瘻癔瘧也或从盧从虜

露說文潤澤也一曰彰也 潞說文冀州浸也幽州有潞縣 𦋺罝𦋺取魚具 簬簵䉑竹名說文箘簬也引夏書惟箘

簬楛古作輅或从露 𧄼蕗蘗蕗艸名或作蕗 鷺𩁝鸕鵅鳥名說文白鷺也或从隹从慮亦省 𣝗木名桐也

攄捗攄收歛也 𨡢醴屬 ○ 笯奴故切說文鳥籠也文九 奴賤稱 怒𢗎𢝐說文恚也古作𢗎𢝐 孥妻子

也 砮䃕石名古作䃕 詉惡言 ○ 護胡故切說文救視也文三十九 擭攉捕魚器或作攉 濩布濩散也

頀大頀湯樂名通作濩 鸌鳥名 擭布擭分解也 韄佩刀謂之韄 嫭嫮姱姥也一曰好皃或从雩亦作姱

㛪貪也 婟說文嫪也一日戀也 胍肨胍大皃 瓠說文瓠也 㹨獸名似玃尾長 苎艸名可為繩 笠互絚說文可以收繩也从竹象形中象人手所推握也或省亦从糸互一日差也 䵝黏也 詎誌也 枑說文行馬也引周禮設梐枑再重

[illegible]說文罟也 沍固寒也 鱯魚名似鮎 䱐或作魱 獲爭取也禮毋固獲 涸水竭 穫隹穫地名在周 雘黝屬山海經青丘山多青雘 臒博雅冄也 胡頸也漢書枰胡晉灼讀 䕶艸名神護也 [illegible]短衣 [illegible]佩印系續漢志諸侯王以下以綬

嫭惜也 沍水漫也 摢摢障也 ○謼嘑呼荒故切說文評謼也或作嘑呼文十 [illegible]栗莍斫也 [illegible]籠也 [illegible]血汚也 [illegible]江淮謂治病為[illegible] 戽戽斗抒水器也 汻抒水也 鶘鳥名爾雅鶘鷀鶦善洿去河水以取魚故名去

○庫苦故切說文兵車藏也从車在广下文十六 絝袴䩱說文脛衣也或从衣从革 胯跨說文股也一日奎也或从足亦作跨 苦[illegible]困也今人病不善乘日苦車或从疒 [illegible]搗茱萸為之味辛而苦 [illegible]藍酤說文[illegible]也一日菹也或作藍酤 秙秙穲禾不實 鮬藏魚子也 [illegible]鼻折

○顧[illegible]古慕切說文還視也古作[illegible]俗作顧非是文二十七 餬饘也 雇傭也 詁通古今之言也 古始也通作故 故說文使為之也亦姓 固怘說文四塞也一日再辭一日堅也古作怘

盬攻緻也 錮說文鑄塞也 棝說文棝斗可射鼠 酤沽賣也略也或作沽 𤵸痼說文久病也一日小兒口生瘡或从固 涸凝也 稒棝稒陽縣名在五原郡或作棝 茵說文艸也 𣪊彀方言𣪊子雞雛皆謂之𣪊或作彀 [illegible]罟取魚具 鮕魚腸一日杭越之閒謂魚胃為鮕 鈷[illegible]也 婟嫪惜也一日女字 蠱事也

○汙洿洿盜烏故切說文薉也一日小池為汙一日涂也或作洿洿盜文十四 惡誣謡恥也憎也或作誣謡 隖障也 塢野聚也 堊白飾也或書作埡 噁喑噁怒皃 杇塗工具 㛪貪也 嗚歎傷也後漢書噫嗚流涕

○誤五故切說文謬也文二十九 悞欺也疑也 悟[illegible][illegible]說文覺也古作[illegible]籀作[illegible] 娛樂也 寤[illegible][illegible]說文寐覺而有信日寤一日晝見而夜夢也籀作[illegible]或省 寤博雅竈也 晤昕說文明也引詩晤辟有摽或从午 [illegible]聽也 捂[illegible]斜相抵觸也或从吳 [illegible]猿類大而有鬎色黃 逜爾雅逜也謂相午逜 遻迕俉遇也或从午亦書作俉 牾忤午蘁說文逆也或作忤午蘁 娪青州呼女日娪 仵同也莊子[illegible]偶不仵 懌倉卒也後漢書錯懌不能對 [illegible]獸名 梧魁梧大皃

○寫傷故切行水也周禮以澮寫水劉昌宗讀文一 ○[illegible]儒互切鈍也从厚省文一 ○[illegible]於故切踞也文一

十二○霽子計切說文雨止也文十三濟渡也鱭露鼫曰鱭擠說文排也𡾊山名躋隮𨀁方言登也一曰墜也或从自古作𨀁通作躋懠緝也齊和也周禮八珍之齊徐邈讀齎行道之財用𧝈斷也管子𧝈領刎頸

穧獲也○絤細思計切說文微也隸作細文十四洒說文水出汝南新郪入潁𣏡𣏡陽山名壻婿聓說文夫也引詩女也不爽士二其行士者夫也或从女亦作壻俗作聟聓非是𡵓山名粞米屑棲栖雞所止或从西些呰語辭或从口𡛜女字○切七計切衆也文十砌碃也𥉋𥇘說文察也一曰裘視或从切𥉋𥇘聦也或从切

摖排取也悽恨也妻以女嫁人曰妻𡾏山名○嚌𠰛才詣切說文嘗也引周書太保受同祭嚌古作𠰛文二十一𪘏𪘲也擠斷木也𨡎博雅醬也眥說文目匡也或書作眦懠爾雅怒也一曰愁也疾也癠病也一曰短也𪘏𪘏齝醬也劑說文齊也𧛔衣交衿穧說文穫刈也一曰撮也齎說文炊餔疾也齊齌和也或作齌

粢酒也禮粢醍在堂通作齊儕等也薺艸名𤷓疣疷恨也䨳晴也鑗利也○媲匹計切說文妃也文十八䠘踦也𠜱𠜦割也或作𠜦𡊁埤𡊁垷城上垣或作埤淠渒說文水出汝南弋陽垂山東入淮博雅淠渒也一曰舟行皃或作淠滭水聲通作淠䡟䡟輗車名脾盛肥也𤛙牛名睥俾䁹辟睥睨視也或作俾睤

潷水名在丹陽頩傾頭皃○閉必計切說文闔門也从門才所以距門也俗从下非是文六嬖說文便嬖愛也箄甑蔽𢧵𢧵慼毀也𣗛木名綼緝也○薜䕻蒲計切艸名說文牡贊也或作䕻文十五彃弦也鐴治刀使利

䠙蹕也𣗛木名䍥鳥罔鐴羊箠端有鐵醳𨠃說文擣榆醬也或作醳箄薄也僃困病莊子先生之憊𥳁捕鳥具僻辟也一曰从旁牽鍪銅生五色○謎爾計切說文隱語也文七媄吳俗呼母曰媄攠拭滅也

鐖小釜欐粱木名瞇睥也𢡈𢡈也○帝𢂔丁計切說文諦也王天下之號也古作帝文五十五偙僀偙僀困劣皃或作僀揥捎也戴也諦諟䚦說文審也或从是从帶嚏嚔說文悟解氣也引詩願言則嚏或作嚔

腣𦡠腣胝肰腹或从帶骶博雅脊謂之骶摕𢶣𢶣說文撮取也或从折从示兩手急持人也亦作𢶣底至也

跃蹋也趆趨謂之趆遞驚不進也靪𩌏補履下也或从氐𤸷創也一曰下病䑛舟氐艣舟也一曰水戰船

瓱瓱甍大瓮疐蔕去本也爾雅棗李曰疐之或从艸柢𣙬根也或作𣙬怟悶也蔕說文瓜當也螮

蝃蜥蚳 說文螮蝀虹也或作蝃蜥蚳 䗖蝭 䗖蟧蟲名蛁蟟也或从是 扺 摘也 媂 圖室神名一曰黠媂女皃

邸 本也周禮四圭有邸 氐 東方宿名 胝 牲體之本也 墆 博雅墆翳障蔽也 僀 博雅僀僚也一曰疾也 泜 水名在常

山 [illegible][illegible] 鼻疾太玄決其聾[illegible]或作[illegible]亦書作[illegible] 綈 結不解 鯑 魚名大鱧也 渧 泣皃一曰滴水 啻 高聲一曰諟也

詆 呵也 阺 阪也 奃 大也 [illegible] 姓也 ○𣈉普替 他計切說文廢一偏下也从竝白聲或从日亦作替文四十五

鬄剃剔 說文鬄髮也大人曰髡小兒曰鬄盡及身毛曰鬄或作剃剔 揥 所以摘髮詩象之揥也 [illegible][illegible] 蠡易曲也或从

弟 涕 泣也 洟[illegible] 說文鼻液也或作[illegible] 歖 唾聲 [illegible]裼褅 說文緥也引詩載衣之褅或作裼褅 达 字林滑也

[illegible][illegible]殢 殢中蔫或作[illegible]殢 [illegible] 馬鞁具 [illegible][illegible] 博雅極也或作[illegible] 睼 說文迎視也 笶 車奮竹也

戾 說文輜車旁推戶也 [illegible] 亭名 薙 說文除艸也引明堂月令季夏燒薙 偙 困劣也 [illegible][illegible] 種也或从啻 [illegible] 字林

寧悷心安也 [illegible] 不晉也 汰 沙汰擇也 蛈 蛈蝪蟲名 棣 棠棣木名一曰通也漢書萬物棣通孟康說 載 國名在三苗東

[illegible] 物拭也 鶙 鷉鶙鳥名 鬄[illegible][illegible] 髮也或从世从曳 [illegible] 滌麪也 軑 韓魏謂車輪曰軑 [illegible] 補也 ○

弟第 大計切說文韋束之次弟也或从竹弟一曰順也文五十 悌 易也 娣 女弟一曰母之女弟 鬄鬀錫 說文

髲也或作髢鬄 綈 說文結不解也 睇眱眤 說文目小視也南楚謂眄曰睇或从夷古从尼 䚦題[illegible] 視皃一曰顯也

或作題䁴 諦 諟諦審諦也 慸 說文高也一曰極也一曰困劣 摕 取也 栔 兩指急持謂之栔 踶蹄 說文躛也或从蹄

遰 說文去也 遞迭递 說文更易也或作迭递 逮逯 及也古作逯 禘 說文諦祭也引周禮五歲一禘 釱

說文鐵鉗也 墆 墆翳障蔽也 嵽 岹嵽山形 軑 說文車轄也一曰地名 棣 木名說文白棣也一曰棣棣威儀 杕 說文樹皃

引詩有杕之杜 [illegible] 竹名 䑐 舟名 鷤鶗 鷤鴂鳥名子規也或从是 [illegible][illegible] 河內名豕古作[illegible] 鮷鯷 魚名鮎也

或从是 薙 去艸曰薙 提 擲也史記以目絜提文帝 焍 灼龜木也史記㮚勿焍黃 蛂 甲蟲也 隶 狐子也 [illegible] 鳥名山海

經首山有[illegible]狀如梟三目 珶 玉名 [illegible] [illegible]鍾樂器晉灼曰二十四鍾各有節奏聲不常也 [illegible] 極也 [illegible] 刀鞞 楴 笄屬 地 元氣

濁爲地 戾 輜車旁推戶 ○麗丽[illegible] 郎計切說文旅行也鹿之性見食急則必旅行从丽聲引禮麗皮納聘蓋鹿皮也一曰華也著

也古作丽[illegible]文五十九 離 去也 隸隷 說文附箸也一曰賤稱篆作隸 儷[illegible][illegible] 偶也或从離亦省 戾[illegible]

說文曲也从犬出戶下戾者身曲戾也一曰至也古作𢻷 倓 博雅怒也通作戾 悷 懍悷悲皃 踆 脥 跛足或从肉 盭 𢿥

說文弼戾也或省 綟 說文帛戾艸染色 㸚 二爻也 颲 颵 急風或作颵 飃 颻颲風聲 沴 渗 說文水不利也

引五行傳曰若其沴作或作渗 癘 說文癘也一曰瘦皃 覼 𥉦 說文求也一曰索視皃或作𥉦 珕 蛎 說文蜃屬也引禮佩刀士珕琫

而珧珌或从虫 劙 𠠹 𠜰 方言解也或从麗从𠚒 𢿢 博雅布也一曰數也 𣽈 滞𣽈泣也一曰灘也 欐 小舟一曰棟名

棙 琵琶其撥曰棙 𢹽 說文木也博雅篗其粱謂之𢹽 𥳆 篤也 藶 艸木生著地通作麗 莀 說文艸也可以染留黃 荔 說文

艸也似蒲而小根可作刷一曰荔支果名 唳 鶴鳴 蜦 𧍣 神蛇或从戾 蠣 蟲名蚴蝓也 𨠐 滿也莊子陰陽之氣有𨠐崖譔說

攦 折也箕子攦工倕之指 㥺 㥺怈欺謾也 蠡 方言叁蠡分也一曰蟲名食木 𧓉 瓠勺 㧰 果名似杜杷 淚 疾流皃准

南子水淚破舟 睙 視也 㮚 長禾也 𨽧 裂也 孋 美也 鋖 鑽也鋸也 涖 沆也一曰涖泄水聲 洌 淒洌疾皃 ○泥

乃計切滯也文九 涅 朽也 迡 近也 濘 涵也 𣸓 糟濃者 嬭 女字 㥾 心柔密也 檷 木立死 詎 言不通也

○系 𣫼 𦃃 繫 結 胡計切說文繫𦃃也或从毄㱿籀作𦃃亦作繫結文三十一 係 說文絜束也通作結 禊 除惡祭

大可北小寺四字

𩔈 說文伺人也一曰恐也 盻 說文恨視也 㨛 恨也 妎 爾雅苛妎也一曰妒也 𦝨 脥 喉脉也一曰腹也或从契

瘛 瘈 瘈 博雅瘛瘲病也或作瘈瘈 揳 搽 杭越之間謂換曰揳或从系 楔 木名爾雅䖘楔 𥾐 榼細葉似檀

褉 縥 帶也或作褉褉也 闎 扇扉也 𩍃 說文橐紐也一曰盛饘橐 葜 履系一曰艸名 嫛 怯也一曰妒女 毉 擊中聲

郋 里名在召陵 䙝 吳人謂秧稻曰䙝 𠂎 甹 闕人名有窮國君𠂎或作甹 ○𣅙 顯計切大肥也文六 怈 㥺怈欺也

𣢬 唖聲 㜸 喜皃 嫕 極困皃 騞 解牛聲莊子奏刀騞然徐邈讀 ○契 詰計切說文大約也引易後代聖人易之以書契文二十

栔 鍥 說文刻也或从金通作契 鏨 說文器中盡也 𢜭 說文備也 𡣐 難也 𩕄 伺人也一曰恐也 𥈻 說文省視也

脊 腨腸也 艥 博雅舟也 蟿 蟲名 挈 鑽龜也通作契 藒 蘩 艸名爾雅蘩狗毒 㓞 廣雅毀骨也 㓦 挈瓶也 瘈

瘛瘲瘈疾 恝 心有事也 眄 直視皃 㹸 獸很不動皃 挈 提也 ○計 吉詣切說文會也亦姓文二十五 係 束也

繫 毄 說文繫繥也一曰惡絮一曰維也或作毄 繼 說文續也一曰反𢇍為繼俗作継非是 紒 髻 結 束髮也或作髻結

轚 舟車序行也 𨛦 國名說文封黃帝之後於𨛦通作薊 薊 艸名說文芺也 𧄼 艸名說文狗毒也 𧃔 艸名 檵

木名說文枸杞也一曰監木 槷說文繘耑木也一曰杌槷梅 蟿蛙屬 擊手闕人名春秋傳晉有屠擊 瘈狂也 蛣瑣蛣海蟲名

猘狾狂犬或作猘 蠿蠿英蟲名也 懯憂也 𣪠聲也 魝解也 ○医壹計切說文盛弓弩矢器也引春秋國語

兵不解医文四十 𧡊視皃 㨎說文擧手下手也 悘恭也靜也 殹說文擊中聲也 翳說文華蓋也一曰蔽也 繄

歎聲一曰語助一曰緊袼小兒次衣一曰赤黑繒 豷豕息謂之豷 嫕嫛婉嫕順從也或作嫛 瘱說文靜也或作嫕

瘞𨻳幽隱也或作瘗 譩譩諰也吳越謂諰曰譩譆 訡博雅譽也 㝖說文靜也一曰安也 殪壼說文死也古作壼

瘱廣雅審也一曰瘗也 曀說文陰而風也引詩終風且曀 𡔛𡏢說文天陰塵也引詩𡔛𡔛其陰或作𡏢 瞖目疾 枍枍栺

木名 蘙艸名一曰艸茂皃 𦞗瘦也 𧎒蟲名 鷖鳥名鸗鳧也 搤拉也 醫醴酏為飲也周禮六飲一曰醫徐仙民讀或作

醫非是 鷖青黑色也周禮彫面鷖總劉昌宗讀 縊經也 縩結也肯縩李軌說 湮爾雅落也 𧳜猰𧳜貐獸名類貙或从

犬韋照說 齸嗌江東名咽為齸齸者齝食之所在或从口 噎咽痛方言嘶嗌噎也 ○詣研計切說文候至也文二十四 栺枍栺

木名 羿𦐧說文羽之羿風或省 肹恨視 㾜㾜疧恨也 睨倪說文衺視也或作倪 𧡡說文旁視也 㱦說文

歎也 垷埒垷城上垣也 寱憊也驚也 𢏚說文帝嚳射官夏少康滅之引論語𢏚善射通作羿 潪燒松枝取汁曰潪 輗輨輗車名

鮨魚名山海經瀤水多鮨魚犬首音如嬰兒 𪘏齌𪘏齧也 霓蜺虹也或作蜺 誽伺也 淣水際也 掜擬也寄也

帠法也莊子何帠以治天下也 婗婗也 ○慧胡桂切說文儇也通作惠文二十七 惠𢡆說文仁也古从芔 憓愛也順也

通作惠譓 儶㒑儶困劣皃 韢橐紐一曰囊屬 㨹𢷣裂也挂也或从惠 鏏廣雅鬵鼎也 潓說文水出廬江入淮

蕙香艸 橞槥說文木也或从彗 蟪蟪蛄蟬屬 譿譓辯察也或作譓 鏸銳也一曰矛三隅謂之鏸 𨽐陲也

繐疎布 𣣥谿𣣥大苦 𦑵𦒎𦑼翽博雅羽也或从慧亦並省也 熭乾暴也 轊𨏥車軸頭或从惠

○嘒𡃵嚖呼惠切說文小聲也引詩嘒彼小星或从慧从惠文九 暳𣋼小星謂之暳或不省 𣢑𣢑欸笑也 噦

聲徐有節也詩鸞聲噦噦徐邈讀 喙口也 騞刀解牛聲 ○桂涓惠切說文江南木百藥之長文二十四 烓博雅明也通作杳炅

觖舌頭語也 趹踶也 鈌刺也 𣧾博雅極也 刲割也 筀竹名傷人則死 𦯔茥艸名或省 罣絓也

決疾皃莊子麋鹿見之決驟徐邈說 赽趬赽走皃 𧮼谿也 𢾁放也侵也 訣決也 𪀗鴂鷤鴂鳥名或从夬

澨澨 入門或作澨澨 說文在大也引春秋傳華日入 筮大也 噬 誓在大旅請也 薑王姓也

晣晣 明也或从制 亦書作晢 逝 說文往也晉趙曰逝 製 名魚 以西魚 贅 魚名或 貝也

掣 制 文三十八古作 㓞 一曰止也 說文裁也 本 敳 剬 乃 韓 斷齊 博雅 制 明日 制 瞖 作聽也或 晢 目光

鑿 㓞 說文小也 鋈 或作鈠 刺器 𣐈 木 入 請 忌 特 曰 齊 ○ 制 猘 剬 以 狂犬也或作 木 物 說 文 裁也 有 叡 也 以 刀

惠 說文小兒 濊 亦 也 或从 制 痸 作 狾 狂犬也或作 瘈 滯 滯 滯 以 言 不 財 作 滯 或 滯 也 亦 作 滯 信

𨒫 或作 史 東 从 惠 又 說文 二 十 摰 摰 十 𨒫 許文一 通作 以 手 曳 也 作 引 其 說 文 口 作

為 一 世 古作 卋 从 卅 而 曳 長之 貰 貸也 勢 力 或 也 世 說 文 贳 ○ 世 三 十 年 說 文

王 輯 雅 准 謹 也 攝 也 罽 開 毳 內 取 骨 也 瘞 幣 也 ○ 世 壐 以 盟 之 以 說 文 作 說 文 名

害 或 作 車 曲 書 頭 車 鏏 鑴 以 大 鼎 書 鼎 小 鼎 說 文 細 本 靈 以 盟 也 說 文 作

○ 彗 篲 箒 或 从 竹 从 艸 說 文 掃 竹 也 或 作 彗 二 十 帚 說 文 作

小字大字

也 汭 水 ○ 蕝 朝 會 束 茅 表 位 曰 蕝 文 六 文 四 惠 說 文 緜 也 㳷 小 土

䅵 作 䅵 稅 說 文 毛 也 毳 細 毛 也 說 文 獸 也 說 文 謹 也

攜 作 小 松 楷 ○ 脃 膬 脆 小 耎 易 斷 也 以 芮 切 說 文 十 五 也 或 鋭 也 說 文 作

布 繐 細 疏 布 也 說 文 細 也 說 文 ○ 說 蛻 中 蛻 鳴 也 說 文 有 明 日 中 也 鼎 小 細

汭 水 ○ 歲 說 文 木 星 也 越 歷 二 十 八 宿 宣 遍 陰 陽 十 二 月 一 次 从 步 戌 聲 律 歷 書 名 五 星 為 五 步 古 作 歲 文 十 一

也 濊 濊 亦 作 㵝 篲 或 作 掇 讀 東 詩 無 目 察 ○ 衛 瘞 禮 也 言 語 以 衛 也 或 作 衛

十 三 ○ 祭 示 以 手 持 肉 說 文 祭 祀 也 从 示 以 手 持 肉 文 十 三 也 際 說 文 壁 會 也 織 日 織 祭 在 周 邑 名 文 說

𥛱 分 際 也 文 五 本 作 暖 也 闕 也 瓉 王 名 或 作 瓉 ○ 蔡 荵 田 切 名 一 曰 或 作 文 二

見 一 今 江 東 名 蛙 鯔 一 日 漢 有 城 陽 兒 寬 漢 末 有 四 字 一 居 華 陽 字 九 畫 兒 鏠 虫 ○

決 見 馬 行 名 水 也 姓 兒 其 姓 也 見 姓 其 孫 遊 避 地 朱 虛 改 爲 兒 或 為 四 十 居 齊 改 爲 兒 為 皇 甫 謐 改 姓 去

時有蕢禪狾⿰犭蜇蟲名蝗子也或从虫折斷也春秋傳司馬置折俎徐邈讀觢竪角牛晢博雅白也𥎊矛謂之𥎊

⿰言制語不正⿺走折踰也聯聰也瘛引縱病也逝遰往也或作遰淛浙江名或作浙瘵病也

⿰耳祭察視○誓⿰折斤時制切說文約束也古作⿰折斤文二十七噬說文啗也一曰啄也簭筮䈂說文易卦用也从竹从𢍰𢍰古巫字或作筮䈂

逝𨓈說文往也或作𨓈⿺走折跇𨁾遈超踰也或作跇𨁾遈通作迣迣迾也遾爾雅遏遾逮也北燕曰遾一曰遠也

忕習也銴說文車摯結也一曰銅生五色或書作⿰金折觢⿱制牛挈一角仰也一曰牛角立謂之觢或作⿱制牛挈

澨說文埤增水邊土人所止者引夏書過三澨折曲也詍⿰口曳⿰言曳語多也山東去或作⿰口曳⿰言曳拽拖也山東語

⿱制肉制肉也貰漢侯國名○稅輸芮切說文租也一曰舍也亦姓通作說文十四說誘也裞說文贈終者衣被曰裞

帨帥佩巾或作帥⿱埶巾說文禮巾也挩拭也⿰食兌⿰食雋說文小餟也或作⿰食雋祱博雅祭也一曰過制追服謂之祱

涚說文財溫水也引周禮以涚漚其絲蛻說文蛇蟬所解皮也啐小歠⿱叔示卜問吉凶曰⿱叔示○毳充芮切細毛也文十二

竁說文穿地也一曰小鼠引周禮大喪甫竁喙口也⿱艹毳⿱艹歲艸名橇泥行所乘通作毳⿱毳系博雅謝也一曰數祭⿰⿱竹毳欠博雅春也

⿰⿱竹毳刂⿰⿱竹毳刂斷也或作⿰⿱竹毳刂⿱毳系穀再春⿰月毳脃也啜嘗也○贅⿰貝敫朱芮切說文以物質錢从敖貝敖者猶放貝當復取之也古作⿰貝敫文六

⿸疒敫瘤腫通作贅⿱叔示說文楚人謂卜問吉凶曰⿱叔示从又从祟⿱叔虫蟲名⿱叔心謹也○⿱叕口稱芮切嘗也文三

⿱叔心謹也畷田中道○惙丑芮切短氣皃文二啜爾雅茹也施乾說○⿰耳内牛芮切截耳也文一○汭內儒稅切說文水相入也或省文十八

芮說文芮芮艸生皃一曰國名亦姓⿱艹⿰艹芮⿱艹⿴囗芮艸之小者或作⿱艹⿴囗芮枘鈉刻木耑所以入鑿或从金通作內

抐捽也蜹蚋蟲名說文秦晉謂之蜹楚謂之蚊或省⿰言内愧也周禮注遊觀則施惠以爲說也聶氏定作此音⿰土内深也靜也

笍竹名袂衣袖莊子被髮褕袂李軌讀⿰扌芮扱也銳銳也毳細毛衲補也○⿸疒帶竹例切瘌病一日牛頭瘍文二

蛭水蛭蟲名○憏所例切帛餘文十鎩戟屬⿰衤殺被也⿰殳殺害也殺⿰糸殺降也或作⿰糸殺蔱椒也

⿰口冊喝⿰口冊聲也椒木名似茱萸⿰衤殺衣褻縫○⿱竹毳⿰⿱竹毳敫初芮切舂也或作⿰⿱竹毳敫文十⿰足毳跳齧也⿱竹⿰毳刂⿱竹⿰毳斤

⿱竹⿰毳刂斷也或从斤亦作⿱竹⿰毳刂⿱艹叔艸出皃蔡艸汚地也察伺也⿱毳系數祭也○⿰口毳⿰氵毳山芮切博雅嘗也或作⿰氵毳文五

⿱叔虫蟲名⿰⿱叔虫叚盡齧也一曰齧嘗之與無反魚肉同義⿱叔示楚謂卜問曰⿱叔示○𨁾迣⿺走世丑例切說文述也一曰踰也从辵从

走文二十二　趩趨 說文超特也或从足　踅 跳也　傺 博雅逗也一曰侘傺失意皃　愢 習也　懘 困劣也　晢 瞥也

一曰目美或書作晣　揥 所以摘髮者　𩺬 博雅䱥謂之鮆　滯 水灑散皃　𧼮 一足行也或从帶　憏 恎憏未定也

濿㶐 怗濿樂音不和或作㶐　㡛 㡛也　䁻 察視　揭 褰衣渡水　㲄 刻也　○猲 於例切說文不成遂急戾也文十三

瘞 說文幽薶也　㵝 博雅清也一曰蓋也　愒 直衿謂之愒　餲 饐 說文飯餲也引論語食饐而餲或作饐　腸 臆下也

䶛 小鼠名　茜 以艸補缺　瘞 餘 埋也古作餘　鷧 鳥名食魚　懲 㥷言不慧也　○愒 憩 偈

甈 去例切說文息也或作憩愒甈文十五　揭 說文高舉也　甈 䙡 𤮚 甈 爾雅康瓠謂之甈或作甈亦省　揭 刮也　藒

香艸爾雅藒車芞輿謝嶠讀　堨 壁隙　跇 跛也　𠝡 傷也　瘌 頭瘍一曰傷敗也　愒 恐也　○猘 狾 瘈

㓹 狛 居例切狂犬也或作狾瘈㓹古作狛文十七　彑 說文豕之頭象其銳而上見也　罽 說文魚网也　㶉 罽 縭

說文西胡毳布也或作㲅縭通作罽　訐 相告斥曰訐　瀱 說文井一有水一無水謂之瀱汋　薊 艸名爾雅薊芙薊可食　薊

說文艸之小者　㓹 博雅傷也　䈜 竹實　瘌 博雅禿也　○瘵 側例切病也文一　○偈 其例切武皃文六　堨

大一二十七 小六十八圭　集韻　去聲七　三十二　正

堰也　薊 薊芋艸名　㯜 博雅㯜㯜釘也一曰車木鎋　碣 山名書夾右碣石韋昭讀　揭 揭陽縣名在南越　○衛

于歲切說文宿衛也从韋帀从行行列衛也又國名亦姓文二十一　𧗿 衛 說文𧗿言不慧也或从言　衛 說文牛踶衛也　躗 說文衛也

璏 瑧 璲 劒鼻玉或省亦从彗　𨌈 轊 轊 轉 說文車軸耑也从車象形杜林說或从彗从慧从惠　篲 博雅簫衛

箭也一曰竹名　䘙 說文豚屬　槥 小棺　熭 㷉 暳 說文暴乾火也或作熭亦从日　𢶍 博雅裂也　鏏 說文鼎也　𢥠

翽 ○劌 姑衛切說文利傷也文十五　𠜨 劌 刖剛刀也或作劌　撅 揭也　橛 夏祖名通作橛　蹶 蹷 趣

僵也一曰跳也或从足衛从走亦書作𧾷　嶡 山皃　𧗿 牛踶　蟨 鼠也一曰獸名　鱖 鱥 說文魚名或作鱥　𨽍 盛肉几亦姓

𩧹 馬惡　○㥷 許罽切息也詩召伯所憩徐邈讀文八　飲 物臭　瀱 爾雅井一有水一無水為瀱汋孫炎說　欪 气聲

𡞲 恖也　䩩 戟 被具所以送死或从曳亦書作䩩　轊 繐也　○滯 直例切說文凝也一曰積也文十一　蹛 蹛林匈奴

祭天處　茜 說文以艸補缺或以為綴一曰約空也　䤉 除利器也　䃘 說文劒鼻玉也　彘 㣇 說文豕也後蹏廢謂之彘从彑矢从二比彘足

與鹿足同亦姓　鱋 魚名　笝 以竹補缺　𨌈 小車耳鉤　㿃 久痢也　墆 停貨　○例 㑁 列 力制切說文比也或

切說文深明也通也古作睿容籀作壡文二十三 銳厕棁兊 說文芒也亦姓籀作㓹或作棁亦省 銳鏸 侍臣所執兵或
从惠 鋆 銅生五色 鐫 小餟 棁 贈終衣 莌 方言艸生初達謂之莌 抗抁 博雅動也或从兊 蛻 毒蟲名
轊 車軸頭 篲 帚也莊子操拔篲以侍門庭郭象讀 啜 爾雅茹也郭璞讀 譮 恨言 硊 磨使消也 璿 美玉 ○
埶藝蓺秇 倪祭切說文穜也从坴丮持而穜之引詩我埶黍稷徐鍇曰坴土也一曰技能也或作蓺藝古作秇文十三
槸槸 說文木相磨也或从艸亦書作槷 褹衭 方言複襦謂之筩褹或作衭 寱𥨝 瞑言也或作𥨝 囈 寱聲列子
啽囈呻呼 𡶒 土高也 ○ 㓹 九芮切剞㓹刀也文六 㕟 迫迮也 臬 射的也 闑 門中橛 埶甈 康瓠也或
作[illegible] ○ 劓𠟓 牛例切去鼻刑或从鼻文七 寱𥨝 說文瞑言也或作𥨝 甈𤮹 說文康瓠破罌或从埶 俿 虎兒
○ 蔽革蔽 必袂切說文蔽蔽小艸也一曰奄也或作革蔽文十三 鄨 說文牂柯縣 鷩𪆫 雉名或从隹 幣
財也周禮幣餘之賦于寶讀 敝 塞也通作蔽 𥌬 瞖也 篳 篳衣車戶也一曰簿篝 弊 斷也 彆𢐗 弓戾也或
作彆 ○ 潎潎 匹曳切說文於水中擊絮也一曰清也一曰魚游皃或作𣻜文六 𠡚 削也 撇 摽也 㡀 衣壞皃 瞥

大二十九 小七二十四

瞖也 ○ 㡀 毗祭切說文敗衣也从巾象衣敗之形文十二 敝 說文帗也一曰敗衣 幣𧝶𧶠 說文帛也一曰財也或从衣从
貝 獘斃 說文頓仆也引春秋傳與犬犬獘或从死 弊 惡也 𢿦 獸名似犬有文故从文 蔽 塞也通作蔽 獙
山海經姑逢山有獸狀如狐有翼名曰獙獙 𦅸 惡綿 ○ 袂 彌蔽切說文袖也文三 帠 布帛幅邊 𢹿 𢹿𢹿細小兒
十四 ○ 𡗝太大泰 他蓋切說文滑也一曰大也通也或省亦作大泰文十五 舦 舟行 汰汏 太過也一
曰沙汏或从太 溙 水皃通作汰 忲㤲 奢也或作㤲通作汰 鈦 博雅鎗也一曰在項曰鉗在足曰鈦 軑 地名故弦子國 𢨲
𪐝 黑甚也 蹛 踶也 ○ 帶 當蓋切說文紳也男子鞶帶婦人帶絲象繫佩之形佩必有巾从巾通作帶文十四 帶 帶方
山名一曰郡名屬幽州通作帶帶 𤻖 下病 跢 小兒行皃一曰倒也 蹛 說文踶也一曰蹛林匈奴繞林而祭也顏師古說 艜 方言
艇長而薄者謂之艜 摕 撮取也 蔕 艸木根也 𧩼 方言諟也 㯂 博雅槌也 䙊 姓也王莽時有中常侍䙊惲 𢈚 屋邪
𧒄 蟲名一曰蛇也 遰 連也 ○ 大 徒蓋切說文天大地大人亦大故大象人形文十六 汏汰𡗝 說文淅𤄷也或从太古作
𢨲 說文輜車旁推户也 軑 博雅輨也 鈦 鉗也 䭾 鳥名山海經䭾出首陽山三目有耳 𥰡 海隅謂籃淺而長者曰𥰡

䓣姓也 吷嘗也 蹛跳也過也 忕奢也習也 默黑也 駄馬畜負物也一曰縣名在江夏 伏地名在海中 ○
賴頼落蓋切說文贏也一曰恃也亦姓古作頼文三十二 贎貸也 襰袜襰祝詛 ⿰土賴博雅墮也 賚⿱𠩺貝說文賜也
引周書賚尒秬鬯或作賚詩釐爾圭瓚徐邈讀亦書作睞 ⿰米萬糲⿰米剌說文粟重一秳為十六斗大半斗舂為米一斛曰糲从米厲糲同
噧嚽聲也或从賴 ⿰火賴火之炎毒曰⿰火賴 癘癩說文惡疾也或从賴 瘌說文楚人謂藥毒曰痛瘌 踈跛也
一曰蹶頭邪行 瀨說文水流沙上也 瀨說文寒也 籟說文三孔籥也大者謂之笙其中謂之籟小者謂之箹 藾艸名 ⿱艹剌爾雅
苹藾蕭或作⿱艹剌 犡⿰牛蠆說文牛白脊也或从蠆 蠣蚌屬 鯻說文魚名 厲病也詩厲假不瑕鄭康成說一曰祖厲地名
一曰鄉名 蠆毒蟲也莊子蠆蠆之尾郭象讀 娕好皃 ⿰犭厲狂也 懶憎懶嬾惡 攋毀裂 ○柰乃帶切說文果也一曰那
也俗作㮈非是文七 萘艸名 渿說文沛之也一曰水波皃 ⿰魚柰魚名 ⿰日柰日無光也 ⿰柰毛獸毛曰⿰柰毛 ⿰女柰女字 ○
貝博蓋切說文海介蟲也居陸名猋在水名蜬象形古者貨貝而寶龜周而有泉至秦廢貝行錢一曰州名文三十 鋇博雅鋌也 ⿰目市⿰目巿
不明也或从日 ⿰足貝⿰足市跋說文步行躐跋也或作跡跋通作狽 ⿰礻市行皃 浿水名出樂浪 伂顛伂仆也通作沛 ⿰市阝

大百一十四 小七百五十 集韻去聲七 三十五 世榮

沛說文沛郡或作沛 垻坺也 ⿰市毛⿰市毛多毛 ⿰牛市⿰牛貝說文二歲牛一曰牛足長大曰⿰牛市或从貝 ⿰魚市說文魚名出樂浪潘國
犻犬張齗皃 芾爾雅小也 巿艸木皃 茇爾雅茇白華茇一曰艸根 梖梖多木名出交阯及西域葉可書 萯萯母
藥艸 ⿰忄市恚恨也 狽獸名狼屬也生子或欠一足二足者相附而行離則顛故猝遽謂之狼狽 茷艸葉多皃 ⿰衤犮物衰外也 ⿰女貝
女字 ⿰王貝貝飾 ⿱艹王姓也 ○娧脫吐外切娧娧舒遲皃一曰喜也或从肉文十一 蛻蟬蛇易皮 稅日月已過聞喪而服曰稅
駾說文馬行疾來皃引詩昆夷駾矣 毻⿰兌毛博雅解也謂鳥獸解毛羽也或从兌 兌成蹊也詩矣 丨上下通也 侻
舒緩皃一曰輕率 裞送死衣 ○祋⿱豆殳都外切說文殳也或說城郭市里高縣羊皮有不當入而欲入者暫下以驚牛馬曰祋故从示殳引
詩何戈與祋一曰祋祤縣名在馮翊古作⿱豆殳文四 杸木名 綴表也禮行其綴兆荷戈與綴鄭康成讀切說也古
作兌文十五 娧說文好也 ⿰革兌博雅補也 綐博雅細也 銳⿰金兊矛屬或作鈗也 ⿰土兌牆墮
也 ⿰山兌⿰山兌嶒山皃 ⿺辶賴⿺辶賴沲汎沙也 ⿺風兌小風 駾馬行疾來皃一曰突也 奪地名 ○酹⿰食寽瀨魯外
切說文餟祭也或作⿰食寽瀨文十 ⿰食兌小啜也 祱門祭謂之祱通作餟 ⿰歹賴癘也一曰畜病 頪鮮白也一曰難曉 ⿰兌毛鳥羽斑色

𤺋病也 駍馬毛班白 ○霈普蓋切多澤也文十四 沛說文水出遼東番汙塞外西南入海 浿水出樂浪 怖怵

博雅怒也或从犮 眆目不明皃 肺茂皃詩其葉肺肺 淠動也詩其旆淠淠徐邈讀 𨁴急行皃 犻姓也 𩢍馬皃

柹木盛皃 邶邑名 茾姓也 ○旆蒲蓋切說文繼旐之旗沛然而垂文十六 軷出祭道神也 𨁴蹎𨁴行不正

拔柹木生柯葉皃詩柞棫拔矣或作柹 茷伐艸多皃一曰茷茷有法度也或省 肞白肉也莊子肞無肞李軌讀 茇茗白華

翇繙羽也社稷舞執之 𢬢撥也 沛艸生水曰沛 𡟼女名 祓祭也 排舟前木也 𨍏盾也 ○眛

莫貝切目不明也文十一 跊踐也 沬水名在蜀西一曰微晦 𪑔深黑色 枺木名榕也 抹摸也 眛莫也一曰斗杓後星

一曰縣名在益州 媒貪也通作昧 韎赤韋 妹女弟 黴濡筆也 ○蔡七蓋切說文艸也一曰國名亦姓古作𦺓

文七 漈水名 𪇃鳩屬或从隹 縩綷縩紈素聲 𡢃女字 ○磢先外切小石文三 𥗴小 㛬瘠病 𥌛流視

也 ○襊取外切緇布冠也一曰衣縫文九 蕞行皃 𥨨說文塞也 𧒒蟲名 𥇦小春 竄逃匿也 最聚也莊子

物何為最之徐邈讀 𦵏說文艸也 幘幘項古服其制未聞 ○最祖外切說文犯而取也一曰極也凡也文十一 𧓍說文蟲也 蕞

地名在秦一曰在新豐 撮會撮頭椎也 稡禾秀不實也 䌨說文五采繒色也或作綷 棷澤也禮麒麟在郊棷徐邈

讀 藂蕞木灌木也周續之說 萃艸盛皃 𡟫女字 ○蕞祖外切小皃文四 篹篹䉷竹器 最聚也 蕞

蕞木灌木也劉昌宗說 ○害下蓋切說文傷也从宀从口言从家起也文八 妎嫉說文妒也或作嫉 𡔛說文相遮要害也南

陽新野有夆亭 𨖷說文無違也 𠲯大開口一曰聲也 愒快也 䯿骨也 ○餀𩞯虛艾切說文食臭也引爾雅餀謂之

彖或作𩞯文八 𦤼臭也或作𦤀 猲犬臭 疲瘍病也或作瘍 鯣魚名 ○磕磕丘蓋切說文石聲或

从蓋文二十六 鄐地名也 嘅嘆也 愒𢢼渴貪也或从欠从水 𣀭𣀗博雅擊也一曰擊也或从殳 溘船著

汲 䄷說文矛屬 𩒨𩕔頭骨皃或从蓋 鶡䳚𥁋鶡鳥名或从隹亦作𥁋 𩞯物臭也 𢡉博雅滿也

愒非時而葬謂之愒 熆火也 𤸰喉病 轄轕車聲或从蓋 嗑喝聲也或作喝 堨塵也 ○蓋

盖居太切說文苫也一曰疑辭古作盇文十 匄丏說文乞也逯安說亡人為匄或作丏 匃制斷也書匄申勸寧王之德鄭康成讀

𪇆鷱鷱鳥名 璔闕人名晉有建平夷王向璔 鄐地名 𥳑䕅藤也 怖懼也 ○藹於蓋切說文臣盡力之美引詩藹藹

王多吉士文十九藹說文蓋也清也微也馤⿰香盍馣馤香氣也或从盍靄⿱雨曷雲皃或省壒塵也通作堨瞌

日色㦖謹也⿰鼠曷⿰鼠離⿰鼠曷小鼠相銜尾而行⿰女蓋⿰女盍⿰女曷死也或省亦作⿰女曷⿰口蓋噎也⿰自曷廣雅臭也濭晻濭欝影陰

也堨青土謂之堨一曰壁閒隙也噯氣也曖晻曖冥也○艾⿰土艾牛蓋切艸名說文冰臺也一曰老也一曰邑名在南昌或作⿰土艾

文七⿰豕艾字林豕三毛聚居者一曰豕老謂之⿰豕艾通作艾⿰艾鳥⿰艾隹鳥名爾雅桃蟲鷦其雌⿰艾鳥或从隹乂⿱乂心創乂懲也或作⿱乂心通作艾

○會⿱止巾佮⿱山方⿱亼日⿱亼⿵凵米黃外切說文合也从亼曾省曾益也亦姓古作⿱止巾佮⿱山方⿱亼日⿱亼⿵凵米文十八⿰山會⿰山兌⿰山會山皃⿸尸會

日月合宿譮悟也繪⿰衤貴說文會五采繡也引虞書山龍華蟲作繪引論語繪事後素或作⿰衤貴古通作佮⿱山方禬除殃之祭曰禬鬠

骨擿之可會髮者璯玉飾冠縫檜木名一曰柩飾⿱雨會雨也襘衣綫帶也⿺辶會無違也○⿰言歲呼外切說文聲也引詩有

⿰言歲其聲文九翽說文飛聲也引詩鳳皇于飛翽翽其羽鉞鐬噦說文車鑾聲也引詩鑾聲鉞鉞或从歲亦作噦⿰鼻會鼻息

濊說文水多皃渙水名一曰縣名在亳⿰彳歲⿰彳歲⿰彳歲室宇顯敞也○⿰禾會糩苦會切說文糠也或从米文七⿰歲羽飛聲也

快逞也史記應侯固不快劉伯莊讀髁⿸尸果博雅臀也或作⿸尸果轄車聲○儈古外切會合市人也文會十一禬說文

會福祭也引周禮禬之祝號會⿱山方總合也古作⿱山方⿰骨會鬠說文骨擿之可會髮者引詩⿰骨會弁如星或从髟通作會襘說文帶所

結也引春秋傳衣有襘⿰食會食也⿰扌會收也刉說文劃傷也一曰斷也一曰刀不利於瓦石上刉之劊說文斷也膾鱠說文

細切肉也或从魚獪狡獪兒戲也廥說文芻稾之藏也鄶說文祝融之後妘姓所封潧洧之閒鄭滅之亦姓嬒說文女黑色也

引詩嬒兮蔚兮澮說文水出靃山西南入汾巜⿰氵⿱止巾⿰氵⿱山方說文水流澮澮也方百里為巜廣二尋深二仞古作⿰氵⿱止巾⿰氵⿱山方通作澮旝說文

連大木置石其上發以機以追敵也引春秋傳旝動而鼓又引詩其旝如林一曰旃也檜栝木名說文柏葉松身或作栝噲地名史記魏敗

趙于噲通作澮璯玉飾冠縫⿸疒會病也概杖也⿰山會峗⿰山會山皃繪五采束髮⿱既月要膏痛○薈烏外切說文艸多皃引詩

薈兮蔚兮文十一懀懀懶嫌惡也一曰悶也瞺眉目閒⿰黑會說文沃黑色濊澮汪濊深廣也或作澮穢惡也通作

濊⿱雨會小雲謂之⿱雨會嬒女黑色徻徻徻屋宇高明也⿰鼻會鼻息○外五會切說文遠也卜尚平旦今夕卜於事外矣文一

○⿱衛心于外切夢言意不慧也文一○饖乙大切食臭敗也文一

十五○卦古賣切說文筮也文十一挂說文畫也一曰懸也通作掛詿⿰言罣博雅誤也或作⿰言罣⿰盾圭盾握也○

掛別也易掛一以象三 繣徽也 絓罣罥也或从网 毄綆耑也 㣛性多阻礙也 ○畫胡卦切界也俗作畵

非是文十五 詿誤也 絓說文繭滓也一曰絓頭一曰以囊絮練也 絓罫挂礙也或从网亦作挂通作絓 澅水名在齊

纗博雅纗紳鞶帶也一曰弦中絕 嫿愚戇多態也 黊博雅黃也 繣徽也 哇喉結塞也 𢊁屐也方言西南梁益之間謂之

𢊁 椵柃椵農具 𡋾度也 ○譮呼卦切說文疾言也文二 𤸎愚也 ○懈居隘切說文怠也或書作懈文七 解除也

一曰閒上也 繲故衣也 薢薢茩艸名芵茪也 廨公舍 嶰山名 㾏病也 ○邂下解切說文邂逅不期而遇也文四

解散也一曰解廌獸名一曰地名 謑𡁈怒聲或作𡁈 ○謑許懈切恥也一曰怒聲文一 ○𣪠懯毄口責

切說文難也或从心亦省文五 解解垢詭曲之辭 喫喫詬力諍 ○𨺔隘阸阨烏懈切說文陋也从𨸏䒑籀文嗌字或作

隘亦从𠀆从厄文十八 伲困也 搤扼也 𡶛𡼏險也或从益 𥢶稻東曰𥢶一曰稗𥢶稻種 𤺓說文劇聲也 𩃬

霧也 硯砨玉名范睢曰周有砥硯或作砨 唲詎聲不平謂之唲或作詎 嗌方言噎也秦晉謂咽痛曰嗌 䦧開也

賹記物也 ○睚𥈭𥉻𤷒厓牛解切目際也一曰恐視或作𥈭𥉻𤷒厓文七 𪘎齘𪘎切齒 㤲根也 ○

大三十十四小六八夲卌 集韻去聲七 三十八 正

○庍卜卦切舍別也文五 𥾯散絲也 𣏾滕屬 𧮫谷名在安邑 𡾊山谷阬也一曰蜀中謂山谷間田曰𡾊 ○𠂢

普卦切水分流也文十一 派說文別水也 䋿說文散絲也 𣏟朩說文葩之總名𣏟之為言微也微纖為功象形或省 渒

渒說文水在丹陽或省 𣐭滕屬一曰木皮蜀人以為布 䆀博雅種也 箄𥰡竹片也或作簰 ○粺鞞旁卦切說

文毇也一曰粟一石舂米一斗四升或作䊧文八 𥎷短皃 稗說文禾別也 𤾊白皮 𪏆黍屬 杷田器 𣹟水名 ○

𧶠賣莫懈切說文出物貨也从出从買隸作賣文四 𥉮邪視 𧸘𧸛垢贖皃 ○曬所賣切暴也通作𪏹文八 𪏹不黏

皃 灑洒汛㶈汛也或作洒汛古省 攦掃也 𨠵簀酒也 ○瘥差楚懈切說文瘉也或省文七

杈博雅梢結枉謂之䙅杈 杈杈杷平田器 汊水浦也 訍疑也一曰訍持人短 𧩝異言 ○債責側賣切通

財也或省文七 榨取油具 𨠚醡𥳑簀壓酒具或作醡𥳑簀 ○瘵仕懈切疾也文十二 柴砦𡎺

磼㮣藩落也或作砦𡎺磼㮣 眦𥇛疵眦睚根視或作𥇛疵亦書作眥 𪗋𪘎𪘎開口切齒 齜骴獸死

或从骨 ○膪陟卦切脛膪肥皃一曰豚肉文二 𢕝立皃 ○媞得懈切方言娄媞欺謾也文一 ○𩮸求卦切𩮸鬆亂文

一〇鬗奴卦切鬗鬗髮亂文一

十六〇怪傀古壞切說文異也或作傀亦書作恠俗作怪非是文十三硜磈石似玉古作䃶㚻大也壞

𢷤𣫉𡋂毀也或从手从攴古作𡋂蔽艸名𢪘擾也篾竹名浧水名〇蔽蒯蔮苦怪切說

文艸也或作蒯蔮蒯亦姓文十七蕢艸名亦莧也簣博雅籠也䈪竹箭也𨚔說文汝南安陽鄉喟嘳欳

說文大息也或作嘳欳欳博雅斷也塊墤凷土也或作墤凷通作蕢𨟺漢侯國名忦恨也嬇女字〇

𧳋呼怪切貐𧳋頑惡也文八𩏂卧息讗過也檅木名瀫濊瀫水相激聲嘳喟字林息憐也或从胃顡癡不

聰明也〇壞𡋂𣫉胡怪切說文敗也古作𡋂𣫉从攴文七𩟐食敗也𣩲腐也蘾艸名爾雅蘾烏蓲𥡪

攢攘䕭臓〇擺仕壞切拉也文一〇聵𦗳𦗼五怪切說文聾也或作𦗳𦗼文七顡說文癡不聰明也𩕳說文

頭蔽額也謂頭癡𩔇闕人名漢有比平康侯𩔇䎱聾甚〇戒𢦦居拜切說文警也从廾持戈以戒不虞古作𢦏文五十四誡

𧩯說文敕也或从界悈說文飾也引司馬法有虞氏悈於中國一日急也慬也忦憂懼也介說文畫也一日助也間也獨也

大百卅三 小六百卅

㚊說文大也价𠌾說文善也引詩价人惟藩或作𠌾𥥍博雅獨也㤦忽忘也畍堺隭𠔁說文

境也或作堺隭𠔁亦書作界𩬶說文簪結也一日覆髻也忦憤也尬說文尲尬也玠𤩊說文大圭也引周書稱奉介圭或从

界疥𤷈蚧說文搔也或从界从虫衸說文袥也一日布幅砎𥓳硬也或从界䘥𧞊上衣也或从蓋

屆届𡱇說文行不便也一日極也至也或作屆古作𡱇艐爾雅至也䁑怒也犗說文騬牛也𩣡說文系馬尾也

𪀐說文鳥似鶡而青出羌中魪魚名比目也芥說文菜也丰說文艸蔡也象艸生之散亂庎𣗱所以庋食器者或作

𣗱吤聲也𦼰蘻𦼰鯁刺也通作芥鷍鳥名爾雅鷍鶍劉疾恝無愁皃孟子不若是恝丁公著讀㲉獸毛細日㲉岕

山名𣳮水名犗四歲牛紒緺也妎女字儿仁人也駴上不問下〇烗㶸炌口戒切熂烗熾

也或从戒从介文九揩揩排強突𩋄鼓名通作揩欬聲也喫喫詬力諍劾𠢕勤力也一曰勉也或作𠢕〇

譮許介切怒聲文十七𢿈𠵭說文訾也或作𠵭𩐈屓㕧說文卧息也或作屓㕧噧說文高氣多言也引春秋

傳噧言𧫺譪譪讗爭怒或从蠆𡘿說文瞋大也或書作𡘿鶡博雅臭也歖欱急氣皃或作欱𢘓說文

儽倮垂皃或作倮 㔣𢿢說文推也或从攴 攂𢹿急擊鼓或从纍 礧壘礌雷檑埤倉推石自高而下也或作壘礧雷檑 鍭銇平版具或从耒 耒說文手耕曲木也从木推丯古者垂作耒耜以振民也 洡相殨滲也

𦓤說文耕多艸 睐目不正 蘱艸名爾雅蘱薡董似蒲而細一曰地名 𨁈足跌 郲說文今桂陽郲陽縣 壨塊也

類偏也春秋傳刑之頗類 礨礨空小穴一曰小封李軌說 櫑櫑具劒名謂以木摽首也 頛頪說文頭不正也从頁从耒耒頭傾也或省 俫佂也 酹餟祭也 儡極也一曰重大而偏 丯艸亂也 穲稃穲稻名 ○內 内奴對切說文入也从冂自外而入也古作內文八

芮蕞芮艸生皃 䯵髳䯵毛亂皃 枘枘枘艸木垂實皃 㡪旆垂皃 軜驂馬內轡 㐻闕人名

○背補妹切說文脊也文十七 褙𦃆襦也或从糸 誖悖哱亂也或从心从口亦書作㤎 輩

軰說文若軍發車百兩為一輩也或从北 𦓱𦓯廣雅耕也一曰兩壁耕或从北 北違也 倍加也莊子遁天倍情 祓福也

背闕人名晉有背督 邶古國名一曰邑名在齊 𡊟姓也 菜悪來 ○配滂佩切說文酒色也文十 妃匹也通作配

嶏崩聲謂之嶏 朏月未盛之明也古書作胐 啡卧息一曰唾聲 蜚蜚林地名在齊 痞博雅痞疕痂也 䀐艴將曙

謂之朏或作艴 靅䨲靅雲盛 ○佩蒲昧切說文大帶佩也从人从几从巾佩必有巾巾謂之飾文三十 珮佩玉也通作佩 琲珠百枚曰琲一說珠十貫為一琲或書作琲

背偝䝳違也或从人亦作䝳 誖悖哱佛𢘊亂也或从心从口亦作佛古作𢘊

狒犬過也一曰犬怒皃或書作㹃 艴色艴如也 時暗也 孛茀說文𡖖也从米人色也引論語色孛如也一說彗星也或作茀

𤎭焙煏也或作焙 猦䝈也 邶鄁說文故商邑自河內朝歌以北是也或从背 棑舟前木 芘艸名

山巔也 蕡䔒麻也艸名山名 蕜菜悪來 拔拂取也 㛂女名 𢮌戾轉 ○妹莫佩切說文女弟也文三十六

韎說文茅蒐染韋也一入曰韎 昧昒說文爽旦明也一曰闇也古作昒 眛目不明也 脢脄背肉也博雅胂謂之脢或作脄

痗病也 黴物中雨青黑也一曰濡筆 䵢淺黑也 䆀禾傷雨 毐毐艸盛上出也隸作每每一曰常也雖也 莓

苺艸名博雅葥蓋薩莫莓也一曰木名子似葚或省 墨讒衰敗善曰墨 䍙網也 枺木名 瑁帽𧌳冒瑇瑁龜屬或从甲从虫亦省 跊踐也 沬微晦也一曰水名在蜀 茅茅蒐蒨艸 味器光澤也禮瓦不成味 媒媒嫌晦皃

眊博雅好也 沒沉溺也春秋傳何沒沒邪 昒說文目冥遠視也一曰久也一曰明旦也 沕潛藏也 䫉說文昧前也 倈

西戎之樂曰佅 嘿 嘿尿多詐也 秣 飼也 抹 摸也 ○碎 蘇對切說文礦也文九 䘹 單衣 鬏 鬏皃 窣 說文破也

啐 聲也 誶 告也 粹 碎米 埣 土之不黏者 繀 說文箸絲於筟車也 ○倅 萃 卒 取內切副也或作萃亦省

文十六 䘹 副衣也 淬 說文滅火器也 琗 玉光 焠 說文堅刀刃也 啐 說文驚也 啛 先嘗也通作啐 催 促也

𥔥 方言碎謂之𥔥 綷 會五采繒色 淬 博雅寒也 祽 祭也 捘 推也 夎 詐拜也 ○啐 摧內切驚也文四

鬏 鬏鬏髮亂 摧 減也 崔 殘敗 ○晬 祖對切子生一歲也一曰晬時者周時也文十六 祽 博雅祭也 䘹 方言單衣

謂之䘹 啐 少飲酒也 𦄻 綷 悴 說文會五采繒也或从糸从巾通作琗 捘 捽 推也或作捽 夎 𡕢 詐拜

也或省 淬 寒也 䣯 䣯人名晉有邯鄲䣯 睟 目際也 錊 鍊也 琗 玉光 ○潰 胡對切說文漏也一曰散也文三十一

憒 說文亂也 殨 說文爛也 膭 肥大皃从肉 儥 媢也一曰長好 嬇 女字一曰女嬇陸終氏妻 顝 無髮皃 讀 說文

中正也引司馬法師多則人讀讀止也一曰讀謼嗚歎 詯 詗 膽气滿聲一曰胡市也一曰決後悔也或作詗 繢 繪 說文織餘也一曰畫

也或从會 䵋 䵳 黃色或从或 闠 說文市外門也 匯 水回合也 荳 菜之美者雲夢之荳 螝 蟲名蛹也 蚚 字林蟲也

集韻去聲七 四十三 正

嵔 山無艸木也 回 迴 曲也漢書多阪回遠顏師古讀或作迴 廻 地形回屈 絗 衣領緣皃 膭 月胅謂之膭 洄

洄混水清也 韇 鞼 繡韋囊或作鞼 瀣 沆瀣露氣一曰北方夜半氣 燴 火色 硘 石皃 ○誨 䛼 呼內切說

文曉教也古从口文二十一 詯 說文膽气滿聲在人上 悔 說文悔恨也 𠧪 說文易卦之上體也商書曰貞曰𠧪通作悔 晦 說文

月盡也 洄 溜 淴 青黑色隸作溜或从忽 沬 湏 靧 頪 說文洒面也古作湏或作靧頪 頮 𩈋 面多

肉謂之頤或从每 痗 病也 秏 稻名出南海 頮 大首也 賄 䝿 財也或从每 䫯 昧前也 ○凷 塊

蕢 蒯 𡌲 苦會切說文墣也或作塊蕢蒯𡌲文十三 𥎵 短也 堁 博雅塵也一曰塊土 儈 傴皃漢書儈若因拘李奇說

頯 大朴之皃 魁 魁然無徒也通作塊 嘅 嘆也 磈 石皃 瘣 病也 ○憒 古對切心亂也文十六 慖 埤倉恨也

簂 幗 婦人喪冠或从巾 𦞁 脘 𦞁要者忽轉動而踠或作脘亦書作𦙶 槶 說文筐當也 筱 博雅傘也 匃 封也

一曰礪刃 扢 博雅磨也 䵳 病皃 𩩲 𩩲骸愚皃 扢 槩 平斗木或作槩 𩪘 頭骨皃 䵋 黃色 ○偎 瘣

烏潰切偎儽病痱也或从疒文七 隈 水曲曰隈 㞇 隱翳也 猥 犬衆吠 褽 衽也 𣠬 大囊 ○磑 五對切說文礦

也古者公輸班作磑文三 醋醉皃 瘂癡疾 ○ 㘨苦對切深也靜也文一 ○ 𤇾沂內切盛也文一 ○ 鞼韢
戶內切韢也一日繡韋也或作韇文三 衛觝也
十九 ○ 代待戴切說文更也亦州名文三十一 岱說文太山也 黱黛說文畫眉也或从代 袋帒囊屬或从
巾 隶隸說文及也从又从尾省又持尾者从後及之也或作隸引詩隸天之未陰雨 逮逯說文唐逮及也古作逯 埭
䃚埭壅水也或从石亦作埭 瞸䁽黷曖䁽暗也或省亦从黑 甙酨酨博雅𤯌甙甘也一日酤也或从
酉亦作酨 酨說文酢漿也 瑇瑇毒玳瑇瑁也或从甲亦作毒玳 𩃧霴靆雲皃 貸貸賽體顫動皃 棣木名
實似櫻桃一日棣棣威儀閑習也 㥅緩也 帒吳俗謂囊揺日帒 瑇玉名 佁佁儗癡也 ○ 貸他代切說文施也文十
態僋說文意也从心从能徐鍇曰心能其事然後有態度也或从人 儓佁儓儗癡也一日不前或从台 蟘蟲名食葉者方言蠊
宋魏之間謂之蟘 詒懈倦皃 忕失常也 𤒴熄燉煙皃 曃曖曃不明 ○ 戴𢧵戴丁代切說文分物得增益曰
戴曰首戴或作𢦻古作𢦔戴一曰國名亦姓文六 襶襶襶不曉事 黱黱靆黑皃 瀻洒不清 ○ 𤆰徠徠

來逨洛代切說文勞也或从彳从人亦作來逨文十五 睞說文目童子不正也 𧼛來也通作徠逨 覫說文內視也 誺
誤也 瘵疾惡疾 唻呼聲 萊艸也 騋馬名 賚賜也 黧騋黧黑色 ○ 耏耐耏乃代切說文罪至不髡也
或从寸諸法度字从寸亦作耐文十三 佴次也亦姓 能忍也亦姓通作耐 䏻說文埃䏻日無光也 睲視不明 鼐說文鼎之
絕大者魯詩說鼐小鼎 螚蟲名小蜚也 襶襶襶不曉事 乃辭也 熊小能 態意也 ○ 䵇莫代切博雅敗也一
曰黑也文八 脄脢夾脊肉或从每 瑁瑁瑁圭四寸或省 苺艸名實可食 瑁蝐蝐蝐也或从虫通作瑁 ○
塞先代切說文隔也文七 簺說文行棊相塞謂之簺一日編竹木斷水取魚也 僿無悃誠也一日細碎 賽報也 𧷓實也
通作塞 賽貸賽體顫動皃 鰓角骨 ○ 再作代切說文一舉而二也从一冓省文十三 載𠦑說文乘也一日年也唐虞
曰載一日則也事也唐武后作𠦑 洅說文雷震洅洅也 栽築版 𢦏說文故國在陳留 縡事也 𩛥說文設飪也 酨
博雅䅬也 鼒鼎之橫上者 𢧁鼓也 戴染也 才始也 ○ 菜倉代切說文艸之可食者文十 埰采臣食邑謂
之埰或省 寀官也 棌桶也唐虞棌椽 𩭬博雅髢也一曰覆巾 縩綷縩鮮衣 婇女字 䐆大腹也山海經冄熏山有耳鼠

以其尾飛食之不脒切限切急意○在胙代切說文存也文十裁製也載舟車運物也㵧博雅測也酨酢漿

栽說文築牆長版引春秋傳楚圍蔡里而栽纔僅也材材具也縡事也財貨也○瀣漑潰戶代切沆瀣露氣一日水皃或作漑潰文十四㤥說文苦也一日愁畏劾說文法有罪也𢡟[?]快也核廣雅動也痎二日一發瘧扢磨也取也䠹[?]行急逬[?]艸名似蒿可食隑陭也閡外閉也核檐也○儗許代切儓儗癡也文二䰙[?]博雅䰙鬸鍑盆甁也○慨仡[?]口溉切說文忼慨壯士不得志也或从人气文十三愾太息也一日怒也滿也嘅說文嘆也引詩嘅其嘆矣

欬說文屰气也鎧廣雅鎧甲介鎧也闓開也隑博雅陭也輆輆沭國名在越東核檐也鎎怒戰愷[?]康也㱾[?]息也○溉居代切說文水出東海桑瀆覆甑山東北入海一日灌注也文十八餼[?]主也䝞[?]說文叡深堅意也从叔从貝貝堅寶也摡說文滌也引詩摡之釜鬵通作溉扢博雅磨也槩杚說文杚斗斛或作杚亦書作㮣𦞦[?]博雅病也一日腰痛

㙯[?]剴汽磑切近也或作剴汽磑磯感激也刏割也墍塈坙[?]仰涂也或省古作坙阣[?]陵也

○㤅愛𢛶[?]𢟪[?]於代切說文惠也或作愛古作𢛶𢟪通作爱文十七愛𤔤[?]說文行皃古省僾說文仿佛也引

大一二十九　小六五十八

詩僾而不見一日邑也薆說文蔽不見也薆爾雅隱也一日艸木盛皃靉靉靆雲暗皃曖晻曖冥也唉慢譍也誒可惡之辭馤說文馣馤香氣也通作薆璦美玉皧白色𤏪[?]㷔𤏪煙氣○礙硋㝵牛代切說文止也或从亥南史引浮屠書作㝵文十三閡說文外閉也儗儓儗癡皃懝說文騃也一日惶也或書作𢣚[?]𣚍[?]木名不木屈頭不出也侅飲食至咽爲侅厗[?]石名剴切也㾂癡病磑磥石○倅倉愛切副也文一○怫[?]匹代切怒也文一○偝蒲代切偝立不正鄉前也文一○隑巨代切博雅陭也文一

二十○廢放吠切說文屋頓也一日置也文十九癈說文固病也祓爾雅福也墢𡓗[?]坡也或不省𤼲[?]博雅稅也䯬[?]𩨩[?]說文㩼射收繳具也或从市𥷳[?]䕯蕟蕟籧篨也或作䕯蕟蕟襏爾雅襏褐袖屬橃屋棟頭茀[?]小也茷[?]竹葦絙也髮[?]毛也砩石過水發發矢也詩獻爾發功徐邈讀○肺胇芳廢切說文金藏也或作胇文五怫怒也柿說文削木札樸也陳楚謂櫝爲柿昁[?]博雅春也○𧰲[?]牛吠切豨𧰲短皃文四杌摧也軏小車轅耑刵斷耳○吠狒犮[?]房廢切說文犬鳴也或作狒犮文十二茷艸葉多皃䯋[?]骨耑也颰𩗗[?]

鼠名其鳴如犬吠或从發 瞂盾也 砩石過水 昁春也 鮁魚名 伐擊也亦星名 ○乂刈艾魚刈切說
文芟艸也或从刀从艸文十一 ⿱辟乂說文治也引虞書有能俾⿱辟乂通作乂艾 ⿱乂心說文懲也 ⿰氵乂水名 ⿰乂虎說文虎皃 ⿰乂鳥 ⿸乂鳥鳥名
爾雅桃蟲鷦其雌鴱或从乂 忍怒也 ⿸疒乂病也 ○歇虛乂切息也文一 ○⿰言乂九刈切直言文一 ○薉穢
⿱歲禾烏廢切說文蕪也或从禾古作⿱歲禾通作濊文九 饖說文飯傷熱一曰食臭敗 獩獩貊東夷國名通作薉穢濊 ⿰馬歲⿰馬歲駾馬怒 濊
濊濁也或从薉 ⿰歹歲殘⿰歹歲死物 ○瞥普吠切財見也文一 ○喙許濊切說文口也文十 ⿰食彖⿰食隶爾雅飲謂之⿰食彖或作
⿰食隶 彖 ⿸疒彖 ⿱喙心博雅㣇彖極也或从疒亦作⿱喙心 顪噦頤下毛一曰頰謂之顪或从口 ⿰矢彖博雅⿰矢卷⿰矢彖短也 趯走皃 ○
⿰糸鬼立廢切闕周禮朱總鄭康成曰故書總或爲⿰糸鬼李軌讀文二 ⿰木劵券契 ○⿰行牛遠穢切牛觸謂之⿰行牛文二 ⿰足歲小溺也一曰倦
也 ○麮去穢切蘗也齊人名麴麮曰媒徐邈讀說文二 ⿰矢卷⿰矢卷⿰矢彖短也
二十一 ○震 ⿱雨⿰𦥑火之刃切說文劈歷振物者引春秋傳震夷伯之廟籀作⿱雨⿰𦥑火文三十六 賑 ⿰貝㐱富也或作⿰貝㐱 振說
舉救也一曰奮也 挋說文給也一曰約也拭也 ⿰足辰 蜄 ⿰目攴動也或作蜄⿰目攴 ⿰㐱頁⿰㐱頁類顏色慎事也 ⿰目辰眩也 侲童子

也漢制儺於禁中用侲子 娠妊也或書作⿸辰女通作震 袗 裖玄服也一曰衣前襌或作裖 ⿰辰阝地名 ⿱振鳥 ⿰辰鳥鷺羣飛也或省
唇驚聲 ⿰辰頁頭動也 稹禾概也 ⿰辰瓦掉也鍾病聲 滇 慎水名在汝南或作慎 縝纑謂之縝 帪方言飤馬
橐燕齊之間謂之帪 ⿰黑㐱黑也 謓笑也 祳整也一曰祭肉 瞋恚也 聄昭告也 㐱髮多皃 ⿵几彡鳥羽始飛皃
鬒髮黑 瘨病也 槇木根相迫也一曰木理堅密 ○眒 瞋試刃切張目也或作瞋文五 阠字林陵名 抻展也
申引也 ○慎 昚 眘時刃切說文謹也一曰獸五歲爲慎亦姓古作昚眘文十 蜃 ⿸辰黽大蛤或从黽 ⿰予予堪⿰予予魚名
蜄蛟屬通作蜃 鈏爾雅錫謂之鈏 ⿸厂欠指而笑之曰⿸厂欠 鋠鐵圓 ○刃而振切說文刀堅也象刀有刃之形文二十 肕
韌 靭 忍堅柔也或从韋从革亦作忍通作刃 荵 ⿱艹刃荵冬艸名或省 ⿰忄刃 ⿰忄忍說文杬巾也或从忍 仞說文伸臂
一尋八尺也 岃山高形 訒說文頓也引論語其言也訒 認識也 軔說文礙車也 ⿰目刃 ⿰目辰視皃一曰眩也或从辰
⿰忄刃心能於事也 牣 ⿰牛忍說文牣滿也引詩於牣魚躍或从忍 杒 ⿰木忍說文桎杒也或从忍 ⿱刃黍粘也
二十二 ○稕 ⿰禾𦎫朱閏切束稈也古作⿰禾𦎫文十二 純緣也 諄 ⿰言𦎫告也春秋傳諄諄如八九十者古作⿰言𦎫 訰

爾雅訰訰亂也 暙眊 說文謹鈍目也或从屯 埻 壘土也一曰射臬 肫 全腊也 甽 溝也 眊 眊眊愬誠 ○舜

𡕙舜俊 輸閏切說文艸也楚謂之葍秦謂之藑蔓地連華象形古作𡕙隸作舜或作俊文十五 蕣橓蕣 說文木堇

朝華暮落者引詩顏如蕣華或作橓亦从舜 瞚瞬眣眴瞤 說文開闔目數搖也或作瞬眣眴瞤 鬊 說文鬊髮也

恂 恂然遽也 鵕 鵕鶲鳥名 ○順 順巡伨 殊閏切說文理也古作順巡伨文七 揗 摩也 楯 檻也 徇

行示也 ○閏 儒順切說文餘分之月五歲再閏告朔之禮天子居宗廟閏月居門中从王在門中引周禮閏月王居門中終月也文六 潤 說文水曰

潤下 ⿰山閏 地名後魏常景發兵守白⿰山閏 䏰 朐䏰蟲名巴郡有朐䏰縣地下多此蟲因以為名 橍 木名 芮 蕞芮艸生皃 ○儐

必刃切說文導也通作擯文九 鬢 說文頰髮也 覾 說文暫見也 覕 殯 不見謂之覕或作殯 殯 說文死也棺將遷葬

柩賓遇之夏后氏殯於阼階商人殯於兩楹之間周人殯於賓階 賔宾 會賓客也周禮金路以賓沈重讀古作宾 擯 弃也 ○朩 匹刃

切說文分枲莖皮也从屮八象枲之皮莖也文三 覾 暫見也 闠 闚也从門 ○信伩訫 思晉切說文誠也古作伩訫亦姓文

三十 訊訩㐰訙咰 說文問也古作訩㐰訙咰 囟出𦙍顖頤 說文頭會匘蓋也象形古

作出𦙍顖頤 洶 水名出汝南 栖 蔥也經絲具 猻 獸名 卂 說文疾飛也从飛而羽不見 迅 說文疾也 狃 小獸

阠 爾雅東陵阠 䒖 藥艸蔦類 汛洒 說文灑也或作洒 㣧 徧也 玐 玉名 杊 木名 軐 車也 䭀 腋氣

病 扟 振也 珅 珠玉光 ⿰卂乎 待也 奞 鳥張羽 申 伸也莊子熊經鳥申 ○親儭 七刃切婚姻相謂為親或作儭

文八 寴宲 屋虛皃一曰至也亦省 ⿰冫親瀙 博雅寒也或从親 瀙 說文水出南陽舞陽中陽山入潁 櫬 木槿 ○

𦤎𣈆晉晋 即刃切說文進也日出萬物進从日臸引易明出地上晉又國名亦姓徐鉉曰臸到也古作𦤎奇字作晉隸省文二十二

縉 說文帛赤色也引春秋傳縉雲氏 搢 插也 枃 埤倉織具所以理絲經 槢 木名一曰鼓名 瑨璡 美石或从進

進𨗈⿰羽晉 說文登也亦姓古作𨗈籀作⿰羽晉 ⿰虫進⿰虫晉 蛤類或从晉 摯 說文羊名汝南平輿有摯亭 嚍 憤也揚子通諸

人之嚍嚍 嶜 山名 溍 水名 鄑 地名在宋魯 𨗈 行艸皃 賮 貨以將意曰賮 ○燼㶳 徐刃切說文火餘也一曰

薪也或从盡文十 賮贐進 說文會禮也或从盡亦作進 濜 水名在襄陽 璶 說文石之似玉者 藎藎

荩 說文艸也一曰進也或从賮从尽 ○陖峻埈嶋 須閏切說文高也或作峻埈嶋文三十八 陖埈 說文陗高

也或文土 容睿濬濬 說文深通川也引虞書容畎澮距川或作濬古作容 浚

也敫 睃 早也 晙 睿瞍 或作瞍 說文瞍盆也 迿 相走也

作大或古 迅 也疾 卂 疾飛也 隼 鳥名 駿 說文馬之良材者

東罽 迿 也 䘉 隝邇 一曰木名 䄃 一曰木也 䇾 說文行也

迿 也行示 徇 䀏 說文目搖也 俊 說文材千人也

○ 俊 儁 隽 說文材千人也 或作儁 畯 說文農夫也 一曰田官

鵔 鵔鸃 山雞 陖 峻 說文高也 或作峻 焌 說文然火也

殉 偱 說文行示也 ○ 徇 侚 疾也 或作侚 洵 說文渦水也

徇 說文疾也 恂 信也 侚 說文行示也 殉 以人從死也

偱 仕轉 恂 ○ 徇 說文行示也 狥 或作狥 侚 㣬

也本 藺 說文莞屬 可為席 閵 通作藺 蹸 轥 鳥名 本作

瓗 亂 說文治也 一曰理也 攤 䗶 蠫 說文分也 或作蠫

作文 疢 說文熱病也 古作疢 瑱 說文以玉充耳也 駗 駗驙 馬載重難行也

十 㐱 說文稠髮也 陳 陣 說文列也 或作陣 ○ 陳 疢 說文塵也

文七 㐭 古字 門 說文瘞也 古作字 訊 說文問也 古作𧦝 信 椽 說文誠也

文七 傻 理也 ○ 吝 說文恨惜也 古作㖁 藺

作帝 也或 䢈 說文行難也 㖁 說文恨也 或作悋 磷

中或 作轥 閵 轥 說文車所踐也 或作轥 蹸 說文轢也 遴 說文行難也

論曰羊者人人以言行善人 或作 閵 說文今閵似雊鵒而黃 或从隹 轥 轢也

隱驎馬色駁 獜山海經依軲山有獸虎爪有甲名曰獜 麐牡鹿 閵𨼆鳥名說文今閵似雊鵒而黃籀从雨不省 䗍蟲名

嚾鳥聲 藺艸名說文莞屬亦姓 籣博雅籣謂之植 橉門閾也楚人曰橉一曰木名 駱牡馬 潾水名 䰫鬼名

𩙫獸名似彘身黃尾白 ○胤胄羊進切說文子孫相承續也从肉从八象其長也从幺象重累也一曰國名亦姓古作胄文十九

肕說文瘢也一曰邊也 酳漱酒也 酌說文少少飲也 引牽車紼也一曰曲引 靷鞕駕牛具在胸曰靷籀作鞕 𨍇

說文擊小鼓引樂也 鈏說文錫也 濥說文水脈行地中濥濥也 敒擣也 軸車名 消水小 戭矛屬 廴延也

枃絲梳 螾蟲名 抻伸也 ○菣𦺉去刃切艸名說文香蒿也或从堅文四 趣行緩皃 臤闕人名鄭襄公臤

○印伊刃切說文執政所持信也文六 鮣鮣鱗魚名如蟇一曰首象印 𦣞說文臥也 茚艸名 霠氣流行謂之霠

鞇木屨有足 ○昀九峻切出也文五 詢訇博雅欺也或作訇 攟拾也 汮水名在沂 ○韻韵

筠吻切音和也或作韵文三 枃絲梳 ○釁衅許愼切說文血祭也象祭竈也从爨省从酉酉所以祭也从分分亦聲徐鉉曰分布也从火非是或作

衅釁一曰罪也文五 舋鏬折也 𦉼器裂 璺玉破不離 ○螼羌刃切蟲名螾也文一 ○隱於刃切據也文一 ○

僅廑堇渠吝切說文材能也一曰劣也或作廑亦省文十七 覲說文諸侯秋朝曰覲勞王事 勤慬憂也春秋傳勤雨麋

氏說或从心 歏欠也 瑾美玉 勤少也 廑博雅廬也一曰小屋 墐說文塗也 𠠳割也 瘽病也 饉說文蔬不

熟爲饉 殣說文道中死人人所覆也引詩行有死人尚或殣之 堇藥艸烏頭也 嫤女字 ○抻居覲切以巾覆物謂之抻文八

㨷拒拭也或作拒 堇藥艸烏頭也 𥞥穮艸 矜憐也 紉合絲爲繩 劤力多也 ○猌魚僅切說

文張齗怒也文三 憖說文問也謹敬也一曰說也甘也引春秋傳昊天不憖兩君之士皆未憖一曰傷也張揖說 𨒈澱也 ○壼困閫

切宮中巷文一 ○詢均俊切誑也文一 ○眒式刃切張目也文一 ○淪倫浚切博雅沒也文二 蜦蟲名蝦蟆也 ○

陣所陳切陵名文一 ○飩屯閏切味厚也文一 ○酳于敉切小飲也一曰漱酒文一 ○愍忙覲切強也鄭康成曰民

不愍作勞文一

二十三○問文運切說文訊也文二十一 聞𦖞聲所至也古作𦖞 紊說文亂也引商書有條而不紊 絻

免㡈喪冠也或省亦从巾 抆拭也 汶說文水出琅邪朱虛東泰山東入濰桑欽說汶水出泰山萊蕪西南入泲 璺鏬坼也

莬脕艸新生或作脕通作免鼤爾雅鼠屬文飾也莬闕人名莊子有蒍閭莬郭象讀忞彊也璺玉破

器裂妏娩女字或从免酚酒名器○溢盜芳問切水聲或从口文八忿怒也⿰魚忿魵魚小

曰鯀一曰魚名或省濆說文水浸也引尾下一說泉涌出也蒲同二州夾河皆有濆泉傳云隔河相通瞓乾也噴吹聲○糞

叁糞糞糞方問切說文弃除也从廾推華棄采也官溥說似米而非米者矢字或作糞糞糞古作叁文二十七坌坌

拚攢坋墳數埲說文埽除也或作坌拚攢坋墳數埲穅稻紫莖者瀵水名爾雅瀵大出尾下在河東汾陰

縣瓮其流爲陂以種稻僨僨說文僵也或作僨殰博雅歺也奮說文翬也从奞在田上引詩不能奮飛一曰振也亦姓

奔覆敗也詩傳奔軍之將通作賁賁有勇力也周官虎賁氏劉昌宗讀粉傅也飾也分均也春秋傳救患分災噴吒也

莊子噴則大者如珠攢擊手仆也晉書攢馮豕⿰忄奮囊滿而裂曰⿰忄奮坌䟎躑也山海經依軲山有獸虎爪有甲名曰獜善駛坌

分符問切別也文六鼢鼠名份犄也一曰份犄禾有限也坋塵也一曰大防膹膹腯熱腫也⿰忄奮囊裹滿而裂曰⿰忄奮○

二十四○焮炘香靳切炙也春秋傳行火所焮一曰爇也或省文九脪脪瘀瘬疥腴說文

創肉反出一曰瘡脪熱氣著膚中或作脪瘀瘬疥腴㤊笑皃○靳居焮切說文當膺也一曰吝也杜預說戲而相愧曰靳文十六伒相也

頎頭佳皃新黏也斤忻爾雅斤斤察也或从心菫艸名墐拒說文拭也或作拒抻巾覆物也

劤多力也巾衣也周禮巾車劉昌宗讀菫菫陰地名在晉駈車中馬芹艸名楚葵也斦敬也禮有所祖○

近岸巨靳切說文附也古作岸文九瑾赤玉廑廣雅蔭也僅僅也春秋傳僅然後得免墐塗也勤少也莚

艸名蒿也殣埋也○傿嫣憑於靳切依止也或作嫣憑文十八㥯所依據也㥯說文謹也隱築也隱限也

檼櫽說文栝也或从隱濦濦水名或省懚檼褭也䅧也或从衣殷當也擝搗劑也

一曰平量憖憖或从焉憖憖慇煩薀也㹜獸名山驢也形如羖羊棟東也○迺語靳切瀕也江東呼爲迺文三憖博雅

傷也浪水名○運王問切說文迻徙也一曰地南北謂之運文三十四煇日光炁也暈或作暈緷染間色餫

說文野饋曰餫緷說文緯也醞字林醞酎相沃韗韗說文攻皮治鼓工也或从韋通作煇運大蓮山名或省鄆

說文河内沁水鄉魯有鄆地員姓也賱物數亂也郥國名韻均韵說文和也裴光遠云古與均同或作韵覞

二十四○焮……

……一曰……

……[illegible]

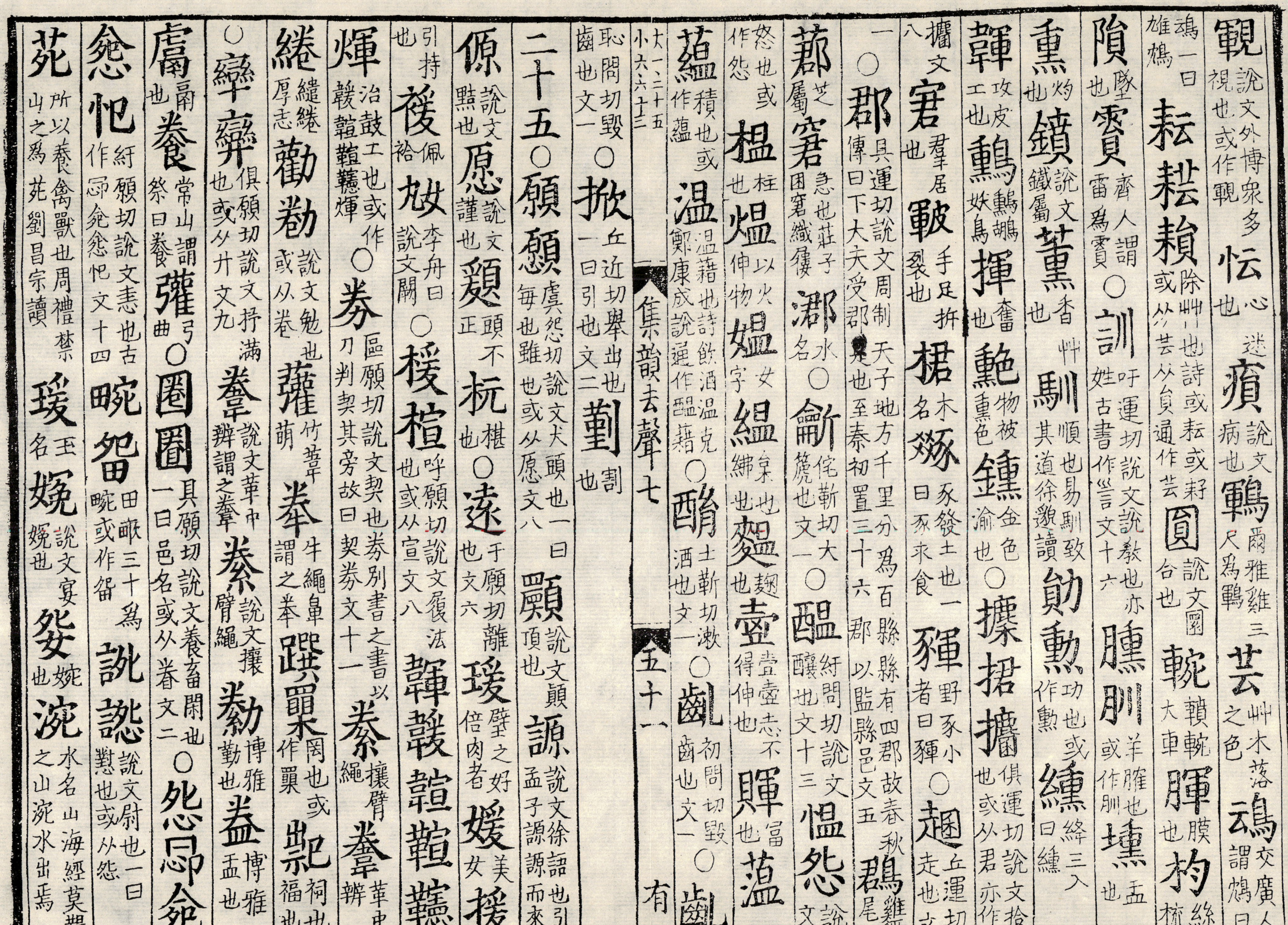

覞說文外博衆多視也或作覞 忶心迷也 瘨說文病也 鶤爾雅雞三尺為鶤 芸艸木落之色 䲰交廣人謂鴆曰

䲰一曰雄鴆 耘秐䅀除艸也詩或耘或耔或从芸从員通作芸 圓說文圜合也 輐輐䡅大車 䐝膜也 杓絲㮣

隕墜也 賱齊人謂雷為賱 ○訓吁運切說文說教也亦姓古書作訔文十六 臐脪羊腌也或作脪 壎盂也

熏灼也 鐼說文鐵屬 薰香艸也 馴順也易馴致其道徐邈讀 勛勳功也或作勲 纁絳三入曰纁

韗攻皮工也 鶤鶤鵝妖鳥 揮奮也 黦物被熏色 鑂金色渝也 ○攈捃攟俱運切說文拾也或从君亦作

攟文八 宭羣居也 皸手足拆裂也 裙木名 豩豕發土也一曰豕求食 䆅野豕小者曰䆅 ○趣丘運切走也文

一 ○郡具運切說文周制天子地方千里分為百縣縣有四郡故春秋傳曰下大夫受郡是也至秦初置三十六郡以監縣邑文五 䳌雞無尾

莙芝屬 窘急也莊子困窘織屨 鄆水名 ○𩐶倪靳切大麓也文一 ○醞紆問切說文釀也文十三 慍怨也說文

怒也或作怨 榅柱也 熅以火伸物 媪女字 緼枲也紼也 𪍿麴也 壼壼志不得伸也 暈冒也 薀

蘊積也或作蘊 溫溫藉也詩飲酒溫克鄭康成說通作醞藉 ○酳士靳切漱酒也文一 ○齔初問切毀齒也文一 ○齓

齓恥問切毀齒也文一 ○掀丘近切舉出也一曰引也文二 劃割也

二十五○願顧虞怨切說文大頭也一曰每也雖也或从愿文八 顯說文顛頂也 謜說文徐語也引孟子謜謜而來

傆說文黠也 愿說文謹也 䫫頭不正 杬椹也 ○遠于願切離也文六 瑗璧之好倍肉者 媛美女 援

引持也 褑佩袷 𪗻李舟曰說文闕 ○楥楦呼願切說文履法也或从宣文八 韗韗韗鞼

煇治鼓工也或作韗韗韗鞼煇 ○券區願切說文契也券別書之書以刀判契其旁故曰契券文十一 絭攘臂繩 𢍏華中辨

綣繾綣厚志 勸勸說文勉也或从卷 虇竹萌 桊牛縄鼻謂之桊 𦊝罥罥也或作罥 𥛱祠也福也

○𦆵𦆵俱願切說文捋滿也或从廾文九 𢍏說文華中辨謂之𢍏 絭說文攘臂繩 𠡥博雅勤也 𥁞博雅盂也

𥁟常山謂祭曰𥁟 𢐀弓曲 ○圈圈具願切說文養畜閑也一曰邑名或从卷文二 ○怨㤪𢘆

𢘆怨紆願切說文恚也古作㤪𢘆怨怨文十四 畹田畂三十為畹或作畱 訧謱說文尉也一曰懟也或从怨

苑所以養禽獸也周禮禁苑劉昌宗讀 瑗玉名 婉說文宴婉也 嫚婉也 涴水名山海經莫䍐之山涴水出焉

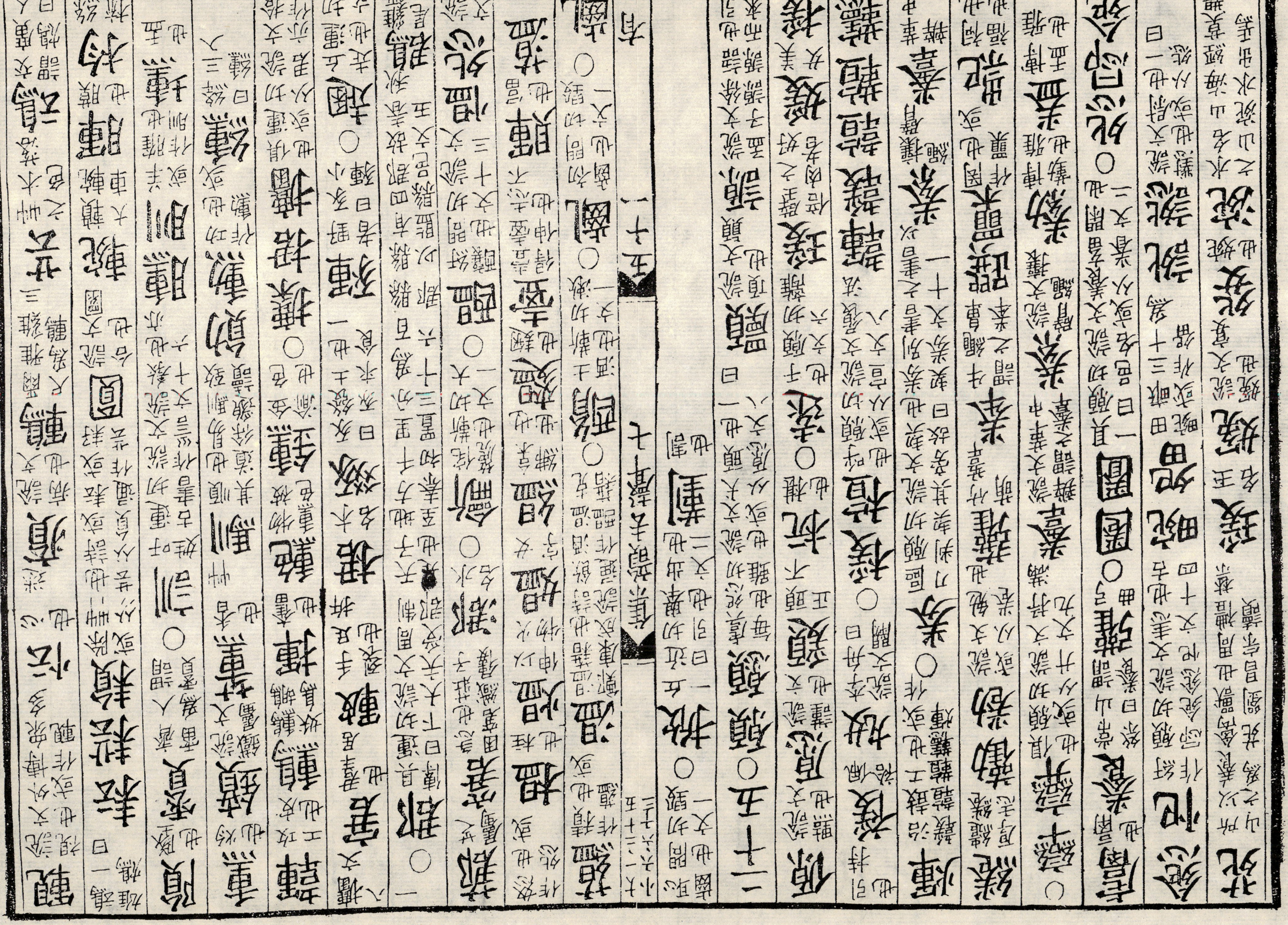

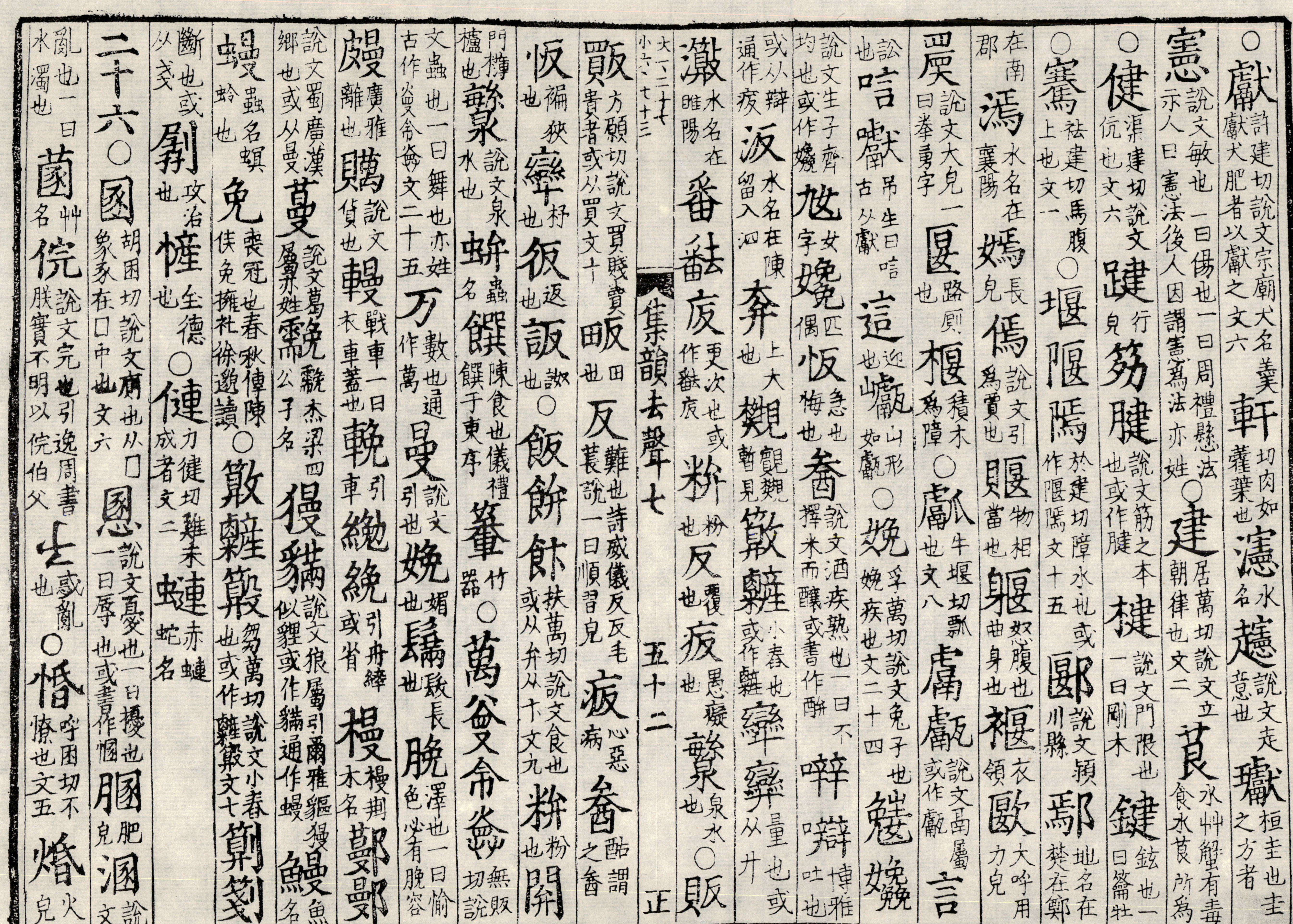

○獻許建切說文宗廟犬名羹獻犬肥者以獻之文六 軒切肉如藿葉也 瀗水名 趨說文走意也 瓛桓圭也圭之方者
憲說文敏也一曰傷也一曰周禮懸法示人曰憲法後人因謂憲為法亦姓 ○建居萬切說文立朝律也文二 莨水艸蟹有毒食水莨所為
○健渠建切說文伉也文六 踺行皃 𠠶說文筋之本也或作腱 腱 楗說文門限也一曰剛木 鍵鉉也一曰籥牡
○騫袪建切馬腹上也文一 ○堰於建切障水也或作隁䧧文十五 隁 䧧 郾說文潁川縣 鄢地名在楚在鄭
在南郡 溤水名在襄陽 嫣長皃 傿說文引為賈也 匽物相當也 躽怒腹也曲身也 褗衣領 鼴大呼用力皃
[illegible]說文大皃一曰拳勇字 匽路廁也 椻積木為障 ○甗牛堰切甑也文八 甗說文甗屬或作甗 言
訟也 唁弔生曰唁古从獻 這迎也 巘山形如甗 ○娩孚萬切說文兔子也娩疾也文二十四 [illegible] 嬔
說文生子齊均也或作嬔 [illegible]女字 嬎匹偶 㤆急也悔也 [illegible]說文酒疾孰也一曰不擇米而釀或書作[illegible] 嚩[illegible]博雅吐也
或从辩通作[illegible] 汳水名在陳留入泗 奔上大也 䙹觀䙹暫見 [illegible]小舂也或作[illegible] [illegible]量也或从廾
[illegible]水名在睢陽 番更次也或作[illegible] [illegible]粉也 反覆也 [illegible]愚癡也 [illegible]泉水也 ○販
[illegible]方願切說文買賤賣貴者或从買文十 畈田也 反難也詩威儀反反毛萇說一曰順習皃 [illegible]心惡病 [illegible]酤謂之[illegible]
㤆褊狹也 [illegible]杼也 仮返也 [illegible]譤也 ○飯扶萬切說文食也或从弁从卞文九 餅 飰 粄粉也 閞
門欂櫨也 [illegible]說文泉水也 [illegible]蟲名 饌陳食也儀禮饌于東序 [illegible]竹器 ○萬無販切說
文蟲也一曰舞也亦姓古作[illegible][illegible][illegible]文二十五 万數也通作萬 曼說文引也 嫚媚也 鬗髮長也 脕澤也一曰愉色必有脕容
[illegible]廣雅離也 贎說文貨也 [illegible]戰車一曰衣車蓋也 輓引車 [illegible]引舟縴 絻或省 槾槾搦木名 [illegible] 鄤
說文蜀廣漢鄉也或从曼 蔓說文葛屬亦姓 [illegible][illegible]杰梁四公子名 獌 [illegible]說文狼屬引爾雅貙獌似貍或作[illegible]通作蟃 鰻魚名
蟃蟲名螟蛉也 免喪冠也春秋傳陳侯免擁社徐邈讀 ○[illegible]匆萬切說文小舂也或作[illegible][illegible]文七 [illegible] [illegible]
斷也或从戔 [illegible]攻治也 [illegible]全德也 ○僆力健切雞未成者文二 [illegible]赤[illegible]蛇名
二十六○圂胡困切說文廁也从囗象豕在囗中也文六 慁說文憂也一曰擾也一曰辱也或書作[illegible] 䐣肥皃 溷說文
亂也一曰水濁也 [illegible]艸名 俒說文完也引逸周書朕實不明以俒伯父 [illegible]或亂也 ○惛呼困切不憭也文五 焝火皃

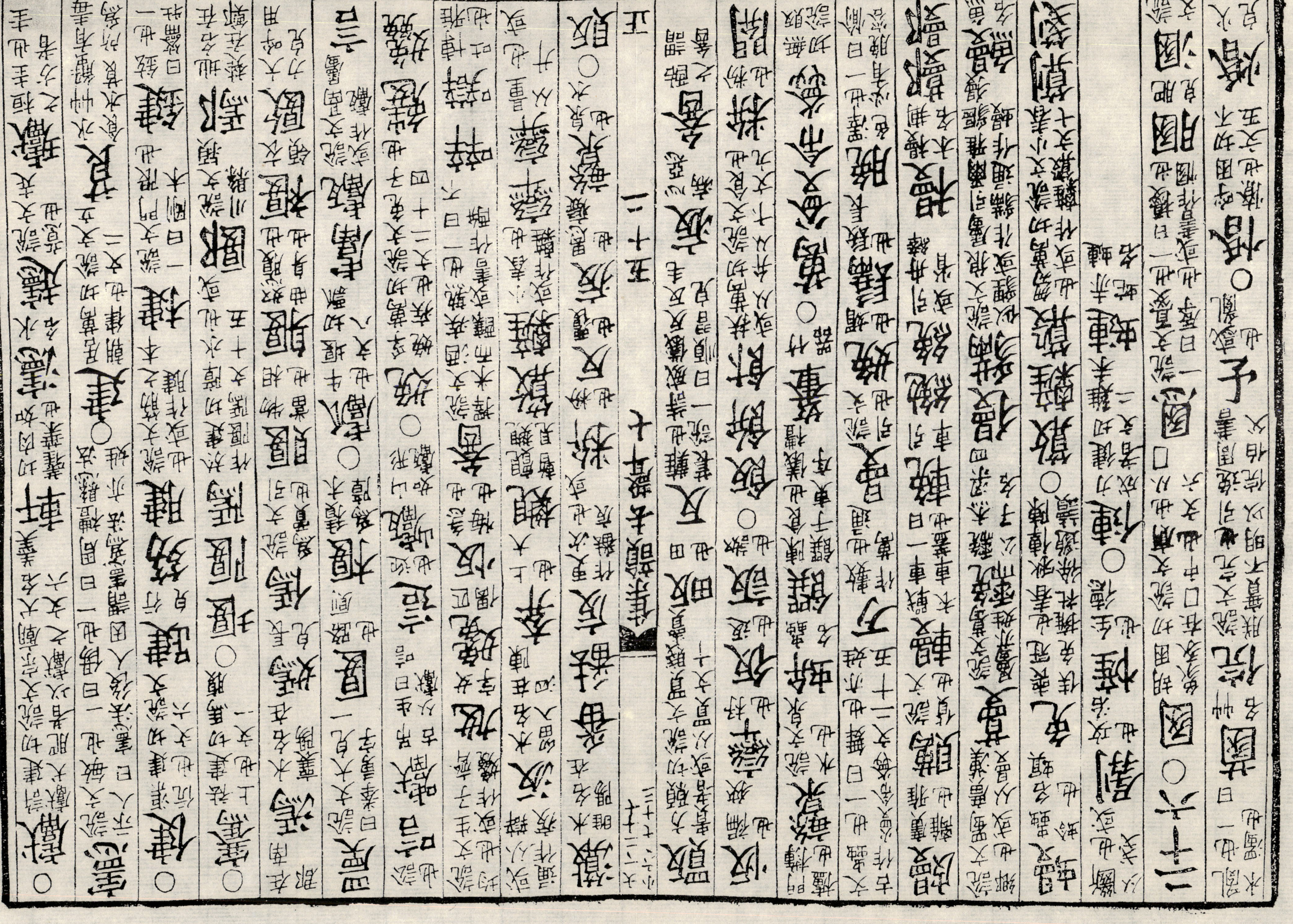

惛惷志也昏暗也亦姓涽涽涽濁水○困朱苦悶切說文故廬也从木在口中一曰極也古作朱文八䐇耳門也一
曰無髮涃水名蜠蟲名閫門橜通作梱梱齊等也儀禮既拾取矢梱之劉昌宗讀𢉖廩也○睔古困切目
大也文十五睴說文大目出也諢謴𧨾說文人也或从貫从袞琿璭治金玉使瑩曰琿或从運鄆水名一曰大水
滾滾滾水流皃𡓨土皃𡸗山形㓻削也䐊圓也黖純黑色摞轉也○搵烏困切說文沒也文
三𩟓說文秦人謂相謁而食麥曰𩟓䭇一曰飽也宛博雅曲也○顐吾困切無髮皃文六睴大目出也䭇䅬說文
𩟓䭇也謂相謁食麥秦人語或从禾倱戲也諢弄言
二十七○慁很胡艮切說文怨也隷作恨文三拫引也○𤸰佗恨切病善食也吳中藥術云文三拞振也
跟蹋也○艮古恨切說文很也从匕目匕目猶目相匕不相下也引易艮其限匕目為艮匕目為眞也文八詪很戾也珢石似
玉者䩕車革前也茛艸名鉤吻也𩑶頰後也𧺝走止也痕腫病○硍苦恨切吳俗謂石有痕曰硍文二
垠上有起跡曰垠○𩟓於恨切方言關西呼食欲飽為𩟓䭇文一○䭇五恨切說文𩟓䭇也文二𩚵餕也○摌所恨切揮

也文一○奔補悶切急赴也文一○噴呠普悶切吒也一曰鼓鼻或作呠亦省文九歕吹氣也坌並也
鱝小魚湓水聲瀵瀵水名在汾陰隷从糞○坌蒲悶切塵也一曰並也或書作坋文九炃燌火盛或从賁
湓水出皃湓博雅漬也一曰水聲捹手亂皃蕡麻也周禮其實𪎭蕡徐邈說体劣也坌以艸為界○悶
惛莫困切說文懣也或作惽亦書作𢜩文六懣滿說文煩也或省惛氣絕也們們渾肥滿皃○巽巺𢁁
巽蘇困切說文具也从丌𢀳聲徐鉉曰庶物皆具丌以薦之古作𢁁篆文作巽文十二顨說文巽也从丌从頭此易顨卦為長女為風者通作巽
潠噀噴水也或作噀遜孫說文遁也或省愻說文順也引唐書五品不愻通作遜蓀艸名𦠆肉割再煮曰𦠆
𩑛選具也○寸村困切說文十分也人手卻一寸動脈謂之寸口从又从一文二鑮瓦器○焌焞爝祖寸切說
文然火也引周禮遂籥其焌焌火在前以焞焯龜或作焞爝文七鱒項上㚢髮捘說文推也引春秋傳捘衛侯之手鐏秘下銅瞫
赤目○鐏祖悶切說文秘下銅也文十五鏄鑽也𦤺再至也洊再至也或从水拵插也焌焞熒火以灼龜或作焞
𦠆切肉和血為羹也荐聚也再也艸也袸衣衿艜舟漏謂之艜栫以柴木壅曰栫鱒魚名存在也濻

水出皃○頓都困切說文下首也文八扽撴博雅引也一曰摩也或从支敦爾雅丘一成爲敦丘一曰太歲在子曰困敦
遯遂逃也古作遯忳沌愚皃老子忳忳兮梁簡文讀或作沌○鈍徒困切說文錭也文十八遁說文遷也遯
遂遯說文逃也或作遂古作遯通作遁鷀雜鳥名或从隹豚豚行皃踵也或作豚頓不利也通作
庉博雅舍也蓮艸名顐顛禿也憞憞溷惡亂也猷犬也褍衣長也忳忳悉意不樂也腯牲充也
○論盧困切議也文八論輪掔丸爲戲惀惷也淪水中曳舟曰淪碖石皃論沒也崘坎陷也或从土
○䵪昏困切䵪䵪不幹事文一○䵪暾頓切䵪䵪不幹事文一○嫩嫰奴困切少弱也一曰好皃或作嫰文七臑
腝肉醢或从耎焫熱也抐字林搵抐沒也枘艸木始生也
二十八○翰侯旰切說文天雞赤羽也引逸周書大翰若翬雉一名鷐風周成王時人獻之文五十三雗鳥名說文雗鷽也䳚
說文獸豪豕也螒小蟲名黑身赤頭一曰天雞一曰莎雞鶾說文馬毛長也馯說文馬突也駻亦姓或省豻䝓
犴胡地犬名或作豻犴旱說文不雨也悍說文勇也忓博雅善也一曰好也䵪說文臥息也盰晏也汗說文

人液也瀚瀚北海名一曰混瀚水皃或从幹扞捍說文忮也一曰衞也或作捍仟敁攼說文止也引周書攼
我于艱古省䩗射鞲謂之䩗屽彈引持也一曰縣名或不省戰說文盾也釬銲說文臂鎧也或从旱一曰固金鐵藥
一曰矛鐏謂之銲䏷䏷腪腯藥名出西蕃治金創通作汗鳱鴅鳱鴅鳥名或从旱垾堤也岸山閈山名或省閈
說文閈也汝南平輿里門曰閈邗邑名在南陽矸石也干或省韓艸名骭骹也榦幹體也或作幹睅
盰博雅白也或省鶾說文雉肥鶾音者魯郊以丹雞祝曰以斯鶾音赤羽去魯侯之咎浙浙浙水涯流皃靬馬被具阡關名
在峽中灘江湘間謂如是曰灘秆禾藁也鯙魚名堅石似玉○漢漢虛旰切說文漾也東爲滄浪水古作漢文十四
暵熯說文乾也引易燥萬物者莫暵乎離或作熯暵䳚䳚耕暴田或作䳚灘水濡而乾也囂嚻呼也或从莧
厂厈說文山石之厓巖人可居籀作厈鸛說文艸也罕抱罕地名僕姓也○看翰墟旰切睎也或从倝文七
侃偘剛直也或作偘衎說文行喜也靬說文靬乾革也武威有麗靬縣鳱鳱鴅鳥名獨春也○倝居案切說文日
始出光倝倝也文二十七旰暯說文晚也引春秋傳曰旰君勞或作暯盰說文目多白也一曰張目翰大赤也一曰濁也

榦能事也一曰艸木莖一曰助也亦姓蘇𦿪說文艸也或从幹骭骭䯒說文體也或作骭䯒𩏓𩏑乾也

或从日韓說文築墻耑木也一曰井欄承轆轤者杆榦木名柘也一曰檀也或从幹㵎㵎㵎水迅流皃皯䵟面黑

乞或从面忓布囊衦說文摩展衣也矸硟石个射侯舌也笴衣架干扞也詩公侯干城沈重讀𩏑說文闕

簳箭羽○按於旰切說文下也文十案說文几屬一曰木名或書作桉𥟎說文𥞊禾也峖山名荽說文艸也

鮟魚名洝說文渜水也郚里名咹聲也晏晚也○岸魚旰切說文水厓而高者文二十一䓴廣厚也一

曰不恭也頇無髮也一曰冠款後謂之頇灝頇灝頇水皃喭唁弔失國曰喭古作唁𨖏遨也㷳火色駻說文馬頭

有發赤色者一曰駻駻馬行皃一曰馬流星貫脣謂之駻銲柔鐵豻犴干說文胡地野狗引詩宜犴宜獄一說犴野犬犬所以守故謂獄

爲犴或作犴亦省𡾓額也鳱鳱鴠小鳥矸山石皃甯戚謌曰南山矸通作岸婩博雅好也謂婦人齊正皃屽山名諺

詉諺自矜听聲也䮃長大

二十九○換胡玩切說文易也文二十八䞝說文赤色也逭𧼛𨙍𨂷說文逃也或作𨘿亦从走从足

大百卄三 小百九十四

集韻去聲七　五十五　珠

涫沸也貒獸名肒疣癯黰說文搔生創也或作疣癯黰脘廣雅脯也垸䯘丸說文以桼

和灰而髹也一曰補垸也或从骨亦作丸瀚浣說文濯衣垢也或作浣漶漫漶難測皃奐伴奐廣大有文章也詩伴奐爾游矣徐邈

讀輐輐斷刑截所用灌水流盛皃詩方灌灌兮顔師古說腕肥也祮報神祭也睆睆睆轉目一曰大目皃鯇魚名

愌援悍愌不順也一曰拔扈或作援○喚嚾讙呼玩切說文評也或作嚾亦从言古通作奐文十六囂囂博雅

鳴也或作囂奐說文取奐也一曰大也亦姓煥明也通作奐渙說文流散也𥈈𥈈山海經𥈈蟹國在崑崙虛東南或从

目𡚁方言恚也䅐禾名漶漫漶難測皃愌悍愌不順也蠸蟲名大鼈也嬽嬽爛文采通作奐○𨭆奴玩

切埤倉燒鐵久也一曰灼鐵以識簡次文五鰀魚觸罔也梡俎有足者㰈杍聲齊也寬緩也○貫古玩切說文錢貝之貫也

一曰國名亦姓文四十六毌穿物也通也通作貫遦行也冠男子二十加冠曰冠矔說文目多精也益州謂瞋目曰矔一曰閉一目

鱹闕人名宋有鱹鱹通作矔觀𩰪說文諦視也爾雅觀謂之闕古从囧綰絳淺色婠好皃懽讙說文喜歡也引

爾雅懽懽愮愮憂也告也或从言祼果淉𥛚說文灌祭也或省亦从水古作淉通作盥灌悹說文憂也或書作悺痯

⿸疒雚爾雅痯痯病也或作⿸疒雚 館舘說文館舍也周禮五十里有市市有館館有積以待朝聘之客或从舍 瓘說文玉也引春秋傳瓘斝

⿰火果楚人謂火曰⿰火果 爟烜⿰火⿱亘木說文取火於日官名舉火曰爟引周禮司爟掌行火之政令或作烜亦从木 涫沸也一曰縣名在酒

泉 灌說文水出廬江雩婁北入淮一曰漑也亦姓 樌權木叢生或作權通作灌 蟦蟲名螺也 罐鑵⿰木覞汲

器 或从金亦作⿰木覞 盥說文澡手也从臼水臨皿引春秋傳奉匜沃盥 鏆鍱手謂之鏆 錧字林田器一曰車軸耑鐵 棺以棺斂也 雚

鸛鳥名說文小爵也引詩鸛鳴于垤或从鳥 莞東莞地名 ⿰衤官韋袴 巏山名 ⿰貫阝亭名 夐大目 雚雚蘭艸名 ○

惋烏貫切驚歎也文十 掔腕捥⿱夗手⿱夗月說文手掔也楊雄曰掔握也或作腕捥⿱夗手⿱夗月 琓圭名 堅說文石之

次玉者 婉嬿婉婦人皃 睕睕眈轉目 ○ 玩貦五換切說文弄也或从貝文九 妧字林好皃 翫抏說文習猒

也引春秋傳翫歲而愒日或作抏 忨說文貪也引春秋傳忨歲而㵣日 輐輐斷刑截所用者 ⿰角元⿰角元斷無圭角皃 願頭大皃 ○

半博漫切說文中分也从八从牛牛為物大可以分也文九 姅說文婦人汚也引漢律見姅變不得侍祠一曰褻子傷也 ⿰半斗說文量物分半也一

曰外五十謂之⿰半斗 ⿰馬半⿰馬半騂馬行皃 絆說文馬縶也 靽駕牛具在後曰靽 眅大也 吸吸嗙剛強皃 ⿰言反⿰言反誇自矜

○ 判普半切說文分也通作拌文二十一 泮頖說文諸侯鄉射之宮西南為水東北為牆或作頖通作泮 拌弃也 冸冰釋通作

泮 ⿰言半巧言 胖片半也字林胖合合其半以成夫婦也或省 姅傷孕也 胖說文半體肉也一曰廣肉 伴詩傳伴奐廣大

有文章也一曰自縱弛之意 吸吸嗙失容也一曰剛彊皃 潘番縣名在上谷或省 半大片也漢書一半冰顔師古說 叛

炍煥也或从火 沜水流也一曰厓也 ⿰馬半⿰馬半騂馬皃 袢衣無色一曰袢延盛服皃 柈木名 ○ 畔薄半切說文田界也

文十一 叛說文半也 媻媻娑無儀適也 吸吸嗙剛彊也 ⿰月反肉也 ⿱髟般卧髻 伴伴㑊相拒一曰偶也 媻奢也一曰

下妻 ⿺辶半去也 坢坋也 怑怑愌不順 ○ 縵莫半切說文繒無文也引漢律賜衣者縵表白裏通作幕文二十三 㪻㪻數無文采

幔幕說文幕也或作幕 ⿰車曼說文衣車蓋也一曰戰車以遮矢也 謾欺語 漫水敗物也一曰大水皃一曰徧也 墁塗具

通作鏝槾 槾博雅貪也一曰木名一曰木脂 ⿱穴曼雲皃 ⿰耒曼⿰禾曼博雅種也或从禾 ⿰山曼山名 獌⿰豸曼⿰豸㒼狼屬或从

豸亦作⿰豸㒼 瀩瀩預水皃 鄤地名 曼曼衍無極皃 蔓枝長也莊子欖蔓其枝郭象說 浼洿池 蘰艸也 鏝鏝胡戟也

秦晉語 ○ 繖傘先旰切蓋也或作傘文十二 帴廣雅襪也帛二幅為帴一曰帬也一曰婦人脅巾名 ⿰木散㪚說文分離也从

支从𣏟𣏟分㪔之意也古从朩 𢿱散說文雜肉也一曰分也隸作散 潵水散也 𢿱說文𣁔𢿱也一曰飛𢿱也 𥳍說文竹器

䉈竹名博雅𥵆䉈桃支 鏾弩也 ○粲蒼案切說文稻重一秅爲粟二十斗爲米十斗曰毇爲米六斗大半斗曰粲亦姓文十二 餐餅也

璨說文玉光璀璨 燦明皃通作粲 𥻘文彩盛皃 [粲巾]幨也 [歺女] 𡡾說文三女爲𡡾𡡾美也或作[歺女] 澯澯瀾水皃

蔡艸名可爲席 𪇂鳥名 鬖鬖光 ○䞝贊則旰切說文見也从貝从兟徐鉉曰兟進也執贄而進有司贊相之隸作賛文二十

讚偁也明也通作賛 攢聚也 𡤎說文白好也一曰不恭 鬢鬢光澤也 襸鮮衣謂之襸 饡餍餍說文

以羹澆飯一曰以膏煎稻爲酏也古作餍餍 趲逼使也 濽淺湔濺說文汙灑也一曰水中人或作淺湔濺 禶祝神

也 瓚圭也一曰雜名 酇說文百家爲酇酇聚也南陽有酇縣蕭何子孫續封者 蘔艸名爾雅蘔牡贊 兟二人屈已以贊也 ○

攢徂畔切聚也穿也文一 ○ 𡤎才贊切博雅好也一曰不謹文六 瓚三玉二石也禮天子用全純玉也上公用駹四玉一石侯用瓚伯用埒玉石半相

埒也一曰裸器 殑臢禽獸所食餘或从戔 穳禾茂不實也 囋譏也 ○筭算蘇貫切說文長六寸計歷數者从竹从弄言常

弄乃不誤也或作算文六 笇遵竹器或作遵 祘說文明視以筭之从二示引逸周書士分民之祘均分以祘之也 蒜說文葷菜一曰

山名 ○竄𥨎取亂切說文匿也从鼠在穴中古作𥨎文十 攛擲也 鑹 爨 穳小矟也或从矛爨亦作穳 爨

爨𤏐說文齊謂之炊爨臼象持甑冂爲竈口廾推林內火擂省或作𤏐亦姓 縓帛赤黃色 ○鑽欑祖筭切說文穿也博雅鍴

謂之鑽或从木文三 穳鋋也一曰小矟 ○旦得案切說文明也从日見一上一地文十二 怛說文憯也引詩信誓怛怛一說悍怛勇力或書

作悬通作旦 疸說文黃病也 癉憚說文勞病也或从心 [舟旦]小危 笪笞也一曰笞也一曰符行箸似蘧篨直文而粗江東呼爲笪

鴠鳥名說文渴鴠也 狚猲狚獸名巨狼也 𡧩小舍一曰小極 𤺺癬病 妲妲己紂妃 ○炭他案切說文燒木餘亦姓

文十二 歎歎說文吟也籀文不省通作嘆 㨏槃木㨏宛轉也 湠字林湠漫水廣皃 𢾎𢾎敪無文采皃 [女炭][女炭]媻無儀

適見 灘爾雅太歲在申曰涒灘 [疒多]博雅[疒多]疲也 嘆說文吞嘆也一曰太息也 澶澶漫也 儃儃漫縱逸 ○憚徒案

切說文忌難也一曰難也通作憚文二十一 僤說文疾也引周禮句兵欲無僤 但說文裼也 觛說文小觶也 撣觸也 貚獸名

彈𢎪弓說文行丸也或从弓持丸亦作弓 澶漫也 壇壇曼寬廣皃 訑慢訑弛縱意 灘太歲在申曰涒灘

蟺蟲名土蛩也 儃何也一曰儃漫縱逸 苴艸名 䀡 暺明也或从單 嘽嘽嘽喜樂盛也 𢞀單𢞀狐邑名

在洛南百五十里秦遷周赧王於此或省 ○爤爛㶳煉郎旰切說文孰也或从闌从間从柬文二十 㦨爛博雅敗也

或作爤 斕𤢃闌博雅粲斕文也或作𤢃亦省 糷𥺯饘糜相著也或省 瓓玉采 讕譋諫詆讕

誣言相被也或从閒从柬 瀾波也 灡潘也 礀礀礀玉石皃 鑭金采也 連連石山名 ○𩁺難鸈乃旦

切阻也古作𩁺難鸈文十一 攤按也 灘水奔流皃 㬮曔說文安㬮溫也或作曔 幱巾撋也 𦋹𦋹狐邑名 𤳧逐疫

也 𩴵見鬼驚詞 ○鍛段都玩切說文小冶也或作段文十七 斷𣃔𠛊𣃚𠢁決也古作𣃔𠛊𣃚𠢁

𨹸險也 腶腶脩捶脯施薑桂也 瑖石之似玉者 碫博雅碫礪也 踹足也 鍛秘下銅平底曰鍛 竱博雅齊也

椴杖也 𢭃捶衣 褍正衣也 ○彖吐玩切說文豕走也一曰易斷卦辭文九 褖稅黑衣王后之服或作稅 湪

水名 湍疾瀨也 貒貗獸名野豕也或作貗 鶨鳥名爾雅鶨鵙老 嚾召呼也 ○段𣪃徒玩切說文椎物也

亦姓古作㫁文十四 斷𣃔𠛊說文截也从斤𢇍𢇍古文絕古作𣃔从皀皀古文叀字引周書𣃔𣃔猗無他技或作𠛊 椴木名似白楊

葮木名槿也通作椴 毈𡡉說文卵不孚也或作𡡉 𩌏緞說文履後帖也或从糸 騡款騡馬行緩 碫厲石

䩛貞面 ○亂𤔔䜌𤔔𢿢盧玩切說文治也从乙乙治之也一曰𤔔也李斯从寸古作𤔔𤔔𢿢俗作乱非是文十二 𤔔

𠬪說文治也幺子相亂𠬪治之也一曰理也徐鍇曰冂坰也界也古作𠬪 𡀩𡢃說文煩也或从女通作亂 灓沙丘絕水橫流也一曰正

絕流渡曰灓通作亂 𦲢小蒜根曰𦲢子 覶委曲也 ○偄愞需懦燸耎奴亂切說文弱也或从心亦作

需懦燸耎文十三 稬穤說文沛國謂稻曰稬或作穤 渜濡沐浴餘潘或从需 堧水濱地一曰城下田 𪊴說文

鹿麛也 餪婚三日而宴謂之餪

三十 ○諫居晏切說文証也亦姓文二 鍊博雅車軸鐵 ○晏於諫切說文天清也爾雅晏晏柔也一曰晚也亦姓文十五

䁙以目相謔謂之䁙 騴爾雅馬尾本白者 鴳𡤤鳥名說文雇也或从隹 鷃鷃鵪鴽屬或作鷃亦从隹

曣日出清濟曰曣 𣉑廣遠也 宴說文安也引詩以宴父母通作晏 姲女字 䓂艸名 洝水名 烏烏秅漢西羌國

名鄭氏讀 ○鴈魚澗切說文鵝也文十 𠩞說文火色也 雁說文鳥也徐鍇曰雁知時鳥大夫以為摯昏禮用之通作鴈 贗

偐僞物也或作㣼 干犴豻胡犬也或从犬亦作豻 鳱鳱鵲小鳥 𩣡馬首 ○骭䟰下晏切骹也或从足

文三 娨字林婺也 ○ 摜遦慣貫串古患切說文習也引春秋傳摜瀆鬼神或从辵从心亦作貫串文十四

擐貫也春秋傳擐甲執兵 丱束髮皃詩總角丱兮 𢇇以絲貫杼為𢇇 倌說文小臣也引詩命彼倌人 𡚶嬋也 睔

大目 矔方言轉目也 琯貫玉飾也 棺以棺斂曰棺 ○ 薍𦾫五患切說文薍也八月薍為萑或作𦾫文四 串傆

爾雅習也或作傆 ○ 患悶𢝔胡慣切說文憂也从心上貫吅古从關省或作患文二十四 宦倌𠇹說文仕也一曰閹人或作

倌亦省 擐說文貫也引春秋傳擐甲執兵 轘說文車裂人也引春秋傳轘諸栗門 繯絡也一曰繡文 寰天子圻內也 槵

木名無患也皮子可澣或省 豢圂說文以穀圈養豕也或作圂 𤞛獸名如羊無口 幻𢆯惑亂也或作𢆯 串

西戎名詩串夷載路鄭康成說 還繞也鄭司農曰還市朝而為道通作繯環 溷濁也 莧莧爾小笑皃 梡木名如訶棃 鍰

鋝也 環鉚也周官有環人劉昌宗讀 ○ 襻𧝄衸普患切衣系曰襻或作𧝄亦从𠦬亦書作衸文八 鋬釟器系

或从大 眅𥈭轉目視或作𥈭 扳引也 ○ 慢漫僈𢇇莫晏切說文惰也一曰慢不畏也或作漫僈古作𢇇文

十一 嫚說文侮易也 謾欺也 縵繒也周禮教縵樂杜子春說 𤹌畜病一曰目疾也一曰惡氣著身 摱擊也 𨍭

車衣蓋 釆分別也 ○ 訕姍所晏切說文謗也或作姍文十八 汕說文魚游水皃引詩烝然汕汕 潸潸說文涕流

皃或作潸 𦋺魚網 麪麵謂之麪 疝病也 狦說文惡健犬也 𣺟洗馬 柵笧𨳡冊編竹木為落也或从

竹从門亦省 姍匈奴名 產生育 𣟄林蓐也 屾二山並立曰屾 ○ 鏟初諫切平鐵也文大 𥹙米一舂也 𢧐麥也

㦃全德也一曰影也 冊編竹木補籬謂之冊 剗攻也平治也 ○ 棧椾仕諫切棚也或作椾文十 輚轏坪倉

卧車也或从孱 𦮲艸名 𧮰谷名在上艾一曰在城皋 虥虎淺毛 䗃蟲名 𤩤玉名 㡨屋笮 ○ 綰綄

烏患切繫也史記獨擅綰事或作綄文四 𥉂妄弃財物 𨢦面曲 ○ 孿𡦜數患切說文一乳兩子也或从兩子文四 涮滌𤅄

洗馬也 ○ 𨘸求患切行曲也文五 彏弓曲 犈角曲 䙺䌯衣襆或从糸 ○ 篡𢹬初患切屰而奪取曰篡或

从手文二 ○ 𣉾丑諫切㬎㬎溫溼一曰小赤文一 ○ 㬎乃諫切㬎㬎溫溼一曰小赤文二 𤹌畜病 ○ 奻女患切諠訟也文一

三十一 ○ 襇居莧切幂幅相厠也文十五 間厠也𡨦也代也 犴豻逐虎犬或从开 覵瞯視也或从目

見梘棺衣禮實見間而折入陸德明讀或从木 繝錦文也唐有大繝錦通作襇 澗𡽃說文山夾水也一曰澗水出弘農新安東

南入洛或作⿰山間 鐗說文車軸鐵也 ⿰角間角雙者爲⿰角間一曰篗也 ⿰衤幵衣名 ⿰酉間醎也 ○鰥⿰目眔古幻切視皃或从目文二 ○莧侯⿰衤間切說文莧菜也文五 蕢艸餘莖也 簣竹枯也 ⿰麥見麥屑 ⿰米見米屑 ○幻幺眩𠄔胡辨切說文相詐惑也引周書無或譸張爲幻古作幺眩一說从到予文五 ⿱艹幻艸名 ○扮博幻切握也文二 ⿰扌辡絆也引擊也 ○盼普莧切說文引詩美目盼兮或作盻文三 ⿲辛目辛小兒白眼一曰視皃 ○瓣分皮莧切說文瓜中實或作分文十一 ⿲辛目辛說文小兒白眼也 辨具也通作辦 辦說文判也 釆⿱丿乎說文辨別也象獸指爪分別也古作⿱丿乎 辯下辯縣名在武都 辦股間也 ⿱竹辡菰也 ⿰足半交足坐 ○蔄蔄莧切姓也文一 ○袒綻䘺直莧切說文衣縫解也或作綻䘺文四 ⿰糸旦補縫也 ○⿰犭幵眼莧切逐虎犬文一 ○羼初莧切羊相廁也一曰傍入曰羼一曰相出前文二 ⿰扌羼插也

大四十五 小二百卌八

集韻卷之七

五福五代堂古稀天子寶

八徵耄念之寶

太上皇帝之寶

八徵耄念之寶

太上皇帝之寶